Genel Yayın: 931

SELAHATTİN GÜNAY

BİZİ KİMLERE BIRAKIP GİDİYORSUN TÜRK?

SURİYE VE FİLİSTİN ANILARI



REDAKSİYON OKUMASI
BURAK ARTUNER

DÜZELTİ
NECATİ BALBAY

GÖRSEL YÖNETMEN
BİROL BAYRAM

GRAFİK TASARIM UYGULAMA
İŞ BANKASI KÜLTÜR YAYINLARI

1. BASKI NİSAN 2006, İSTANBUL

ISBN 975-458-727-2

BARIŞ MATBAASI
(0212) 674 85 28
DAVUTPAŞA CAD. GÜVEN SANAYİ SİT. C BLOK 291
TOKAPI 34010 İSTANBUL

TÜRKİYE İŞ BANKASI KÜLTÜR YAYINLARI
MEŞELİK SOKAĞI 2/3 BEYOĞLU 34430 İSTANBUL
T. (0212) 252 39 91
F. (0212) 252 39 95
www.iskulturyayinlari.com.tr

# *bizi kimlere bırakıp gidiyorsun türk?*

## SURİYE VE FİLİSTİN ANILARI

Selahattin Günay

*Anı*

*İçindekiler*

# Havran'a Tayinim

*Selahattin Günay*
*(1890-1956)*
*Havran'da görev yaptığı dönemde.*

# *Giriş*

Hepinizi sevgi ve saygı ile selamlarım. Gayem ne kendimi methetmek ne de hususi bir maksatla menfaat teminidir. Sadece genç bir Türk subayının çalışma sahasının müsaadesi ölçüsünde neler yapabileceğinin gösterilmesi ve bazı tarihi vakaların da daha yakından aydınlatılması ve canlandırılmasıdır. Bazı vakalarla ilgili olan şahısların mühim bir kısmının sağ olmasından ve memleket dışında bulunsalar da hiç kimsenin bir surette zarar görmesini istemediğimden isimleri ve hatta bulundukları yerler bile zikredilmemiştir.

1890 yılında İstanbul'da dünyaya geldim. Babam Hafız Halil, annem Nefser'dir. Her ikisi de İstanbul'da dünyaya gelmiştir. Ve belirli ailelere mensupturlar. Babam Hafız Halil, emir ve komuta altında yaşamayı sevmez. İstibdada karşı daima isyankâr tavır takınmış ve bu yüzden kendisi başta olmak üzere, beş arkadaşıyla birlikte Sultan II. Abdülhamit tarafından Şam'a sürülmüştür. Pehlivan yapılıdır ve silah kullanmasını bilir; toksözlü ve cesurdur.

Sultan Abdülaziz'in katli hadisesinde, Manyasızâde Refik Bey'le beraber veresenin (mirasçıların) vekâletini kabul etmiştir. Henüz baba kucağında iken bana verdiği en mühim derslerden biri, "Sakın elini kana bulama"dır. Yaşlandıkça, "Oğlum sen yalnız olarak öleceksin. Kimseye bağlanma ve kimseye güvenme. Allah'a kalbinle bağlan ve ondan yardım iste. Hacı olsun, hoca olsun görünüşe aldanma. Arkadaşlarınla laubali olma, daima ciddi görüş. Lüzumsuz hiddet, şiddet gösterme. Zulüm iyi değildir, zalimler çabuk cezalarını görürler. Nasibini Allah'tan iste, vazife dolayısıyla kimseden beş para alma" gibi daha birçok nasihat aldım. Bugün gibi bilirim... Bu nasihatların hepsini tuttum. Hatıralarımda da geçecektir. Yalnız, "Şam'dan evlenme" dediği halde noksan soruşturma dolayısıyla bir hataya düşerek Şam'dan evlenmiş oldum ve sonra günahını da çektim.

## *İstediğim Okula Giremedim*

Sultan II. Abdülhamit devrindeki okul hayatım normal geçmiş sayılmaz. Hususi aldığım derslerle 1322 rumi yılında (1906/1907) Mekteb-i Hendese-i Mülkiye'ye müracaat ettim. 450 idadi mezunu talip arasında imtihan ve ayrıca müsabakaya girdim. Alınacak kırk efendiden otuz yedinci olarak kabul edildimse de eşyalarımı alıp mektebe geldiğimde, Okullar Kumandanı Topçu Ferik Mazhar Paşa'nın karşısına çıkardılar. Bu adamcağız ezilip büzülüp şöyle söyledi: "Hereke'den beş efendi iradeyi seniye (devlet katından gelen bir emir) ile imtihansız olarak Hendese-i Mülkiye'ye alınmıştır. Sen de otuz yedinci olduğun için şimdi alınamayacaksın, ne yapalım talihine küs." İstibdat döneminde ağzını açıp bilhassa padişaha karşı bir şey söylenmezdi, yutkundum. Çok çalıştığım halde, çok istediğim bir okula giremeyince herhalde rengim değişmiş olacak ki, "Oğlum fazla üzülmeyiniz, arzu edersen seni de doğrudan doğruya Topçu Harbiyesi'ne aldırayım, usulden değil ama ben de bir irade çıkartayım" dedi. İsyan içinde bulunan ruhum taşmak üzereyken yalnız, "Hayır hayır başka lütuf istemem" dedim. "Oğlum senin kadar ben de müteessirim, başka ne yapabilirim, sen bu akşam babanla görüş, yarın bana haber ver" dedi. Babama söylediğimde o da çok müteessir oldu; "Gitmemen belki hayırlıdır" dedi.

## *İstibdada Lanet*

Bir sene sonra, bir gece dayım ve halazademle beraber Beyoğlu'na gezmeye gitmiştik. Devriyeler bizi çevirmek isteyince, yanımdakiler kaçtı, ben "ne istiyorlar" diye aldırış etmeyince yakalandım. Galata Sarayı'na götürüldüm. Kapının önündeki kanun zabitleri ve komiserler, "Silahın varsa ver" dediler. Benimde arka cebimde bir çakı vardı, onu vereyim, dedim. Elimi arkaya götürünce hepsi geri geri kaçmaya başladılar, "Tabanca yok, gelin" dedim. Bilmem utandılar mı? Meğer orada bir suçluyu bekliyorlarmış. Beni bir hücreye attılar. Hafiye devriydi, her biri birer ifade aldı, sonra Aziziye Karakolu'na sevk ederlerken devriyelere beş altın vererek kaçtım. Kaçmasam kim bilir ne eziyet çekecek, belki hiç yoktan denizin dibini boylayacaktım. Halazademin evine geldiğimde her birinin elinde birer tabanca gördüm. Evirip çevirip bakıyorlardı, "Ne bunlar?" dedim. "Caddeden geçerken devriyeyi vurup seni kurtarmak için almıştık. Şükür caddeden geçmeden çıkıp geldin, başımızı da beladan kurtardın" dediler. Meğer benim geçtiğim yolda değil esas caddede beklemişler. İstibdadın (baskıcı yönetimin) bu haline lanet ettim.

## *Şam'a Tayinim*

Mart 1328'de (1912) Pangaltı Harbiyesi'nden teğmen olarak çıktım. Şam'a verildim. Üç ay sonra Dera'daki 25. Tümen emrine gönderildim. Mismiye, Busrülharir'de bulundum. Buradaki hayatım normal geçti. Bilahare taburumuzla Kudüs'e gittik. Hıristiyanların Hac zamanında, 1328'de (Nisan 1912) Beytlehem müfreze komutanlığına tayin edildim.

### *Kilise Süpürme Krizi*

Hazreti İsa'nın doğduğu bu yer ve bu kilisede ilk vazife, süpürme merasimi ile başladı. Selefim bir binbaşıyı bu kilisede yağla yakmışlar. Aile dostum olan Sen Casir ile Katoliklerin oradaki ruhani reisi Şerper dedikleri zatların yardımlarıyla, fakat güçlükle süpürme merasiminin oturmuş düzeninde tadilat yaptırdım ve belli kişilerden başkasını bu merasime iştirak ettirmedim, ki bu o zamana göre büyük bir muvaffakiyet sayılıyordu. Ruslar, bir tarihte kendilerine ait olduğunu iddia ettikleri bu kilisenin üç zincir ve üç penceresini başka milletlerin süpürmesine müsamaha edildiği iddiasıyla Devlet-i Osmaniye'ye harp açmışlardır. Bu tarihi vakadan sonra bu pencereler ve zincirler süpürülmemiş, bütün toz, tüm ihtişamıyla duruyordu. Hac mevsiminin sona ermesinden sonra Yafa Piyade Bölüğü Komutanlığı Vekâleti'ne tayin edildim. Akka-Hanyunus sahil muhafızlığıyla Hanyunus-Biri Seba Mısır Hududu Kumandanlığı da bana inzimam eden (eklenen) vazifeler içindeydi. Emrimdeki en yaşlı ve kıdemli subay olan Birinci Mülazım Halepli Cemal'i Mısır hududu ko-

*Osmanlı döneminde Kudüs'te Noel (S. Günay koleksiyonu).*

mutanlığına gönderdim. İnsan, hayvan ve teçhizat noksanlarını ikmal ettim. Mevcut siperleri ve gözetleme mahallerini yeni baştan elden geçirtip elden geldiği kadar intizama sokturdum. O sıralarda Mısır'ın idaresi İngilizlerdeydi. Bu yenilik, El Ariş'teki İngiliz hudut komutanının dikkatini çekmiş. Beyanı hoş ümidi ile görüşmek üzere bir gün istedi. Birinci Mülazım Cemal'le tanışmaları uygun görülerek lazım gelen talimat verildi. Bu tanışmalar samimi hava içinde cereyan etmiştir.

## *Disiplinsiz Redif* Kıtası Meselesi*

Sahil kısmında kaçakçılığın önlenmesi hayli bir meseleydi. Redif ordusunda son kıtasından dahili işlerde istifade şöyle dursun, bunlar aksine asayişi güç duruma sokuyorlar, her

* Osmanlıların son dönemlerinde, askerlik görevini bitirdikten sonra terhis edilmeyip yedeğe ayrılan er.

gün yeni bir vaka çıkarıyorlardı. Talim ve terbiyeleri noksan olan bu taburdan şikayetçi olan Yafa halkı bir gün nümayiş yaptı. Emniyetlerinin teminini istedi. Vaka, Hükümet Konağı önünde ve hemen aynı zamanda kışlanın da karşısındaydı. Mülki İdare'de de bir hareket görülmedi. Bizzat duruma müdahale mecburiyeti hasıl oldu. Kalabalık, şiddet göstermeye hacet bırakılmadan dağıtıldı. Asayişin temini hususunda jandarmayla mutabık kalındı. Bilahare düzelmemekte ısrar eden Redif Kıtası'nın durumunu Kudüs'de bulunan Redif Fırkası Komutanlığı'na şifreyle arz ettim. Bu kıtayı hususi bir trenle Kudüs'e aldılar.

Bölüğüm seferber mevcutluydu. Ayrıca yüze yakın bedeli nakti eratı da vardı. O sırada Yemen'e de buradan sevkıyat yapılıyordu. İaşe maddeleri doğrudan doğruya mukaveleye bağlanıyor, öyle temin ediliyordu. Ayrıca zaruri masraflar için müteferrikadan (çeşitli işler için ayrılmış) para da vardı. Bir gün Şam'daki kolordudan muhasebecinin başkanlığında üç kişilik bir heyet, hesapları teftiş için geldi. Parayı ve diğer iaşe maddelerini vesaireyi teftiş ettiler. Teftiş neticesi kolordu komutanlığından telgraf ile bildirdi. Hesaplar çok iyi bulunduğu için teşekkür ediliyordu.

Hıristiyanların ikinci Hac mevsimi yaklaşmıştı. Kudüs'teki General Konsüller (Kilise ileri gelenleri) toplanmış; geçen sene görmüş oldukları intizamın devamı ve her milletin beslediği sempatiden bu sene de istifade etmeleri için Kudüs'e ve dolayısıyla Beytlehem'e getirilmem amacıyla Sadaret'e müşterek imzalı bir tel çekmişler. Aldığım emirle Kudüs'e gittim, vaziyet hakkında bilgi sahibi oldum. Bu defa Beytlehem'e gidişim

*Salhat Kalesi.*

bir hadise oldu. İleri gelenlerin her biri aynı zamanda misafir etmek istiyorlardı. Nihayet belediye reisinin evine gitmemde uyuştular. Hac mevsiminin sonunda kıtamız eski garnizonuna döndü.

Beni bir bölükle Eski Şam Mevki Komutanlığı Vekâleti'ne gönderdiler. Cebel-i Duruz'daki Salhat Kalesi tamir edilecekmiş. Beni mutemet tayin ettiler. Bize altı saat mesafedeydi. Bir düzene konuldu. Neticede yarıdan fazla kalan paraları sarf evrakı ve hülasa cetveliyle beraber bizzat Fırka Komutanı Ferik Sait Sadi Paşa'ya götürdüm. "Bu nedir?" dedi. "Kalenin tamiri bitti, kalan paralarla sarf evrakını getirdim" dedim ve altınları masanın üzerine koydum. "Ne kadar?" diye sordu. "Aldığım paranın hemen yarısıdır" deyince, "Ben size para gönderecektim daha, Allah Allah" dedi, kurmayını çağırıp memnuniyetini söyledi. "Selahattin Bey'i hesap için üzmesinler, tasdik muamelesi yapılsın, hemen icabını yapalım, gelen paranın ilmuhaberi de yapılsın, tasdik edilsin" dedi ve kısa zamanda yapıldı. Yapılan işleri Salhat'a giderek de görmüştüm. Paşa'nın ifadesine bakılırsa yapılan işe göre inanılmayacak kadar az masraf edilmiş olduğu belli oluyordu.

## *Türkçe Bilmeyen Arap Erlerinin Flâmalı Tatbikatı*

Aradan çok zaman geçmedi beni 25. Nişancı Taburu'na aldılar. 3. Bölük Komutanlığı'na vekâlet ederken 25. Fırka Komutanı Ferik Sait Sadi Paşa, Erkânıharp Reisi (kurmay başkanı) Binbaşı Emin Lütfü Bey'le beraber bir gün ansızın bölüğün talim ettiği araziye geldi ve teftişe başladı. "Bölüğün yanaşık nizam hareketlerinin teftişinde sesiniz çıkmıyor, bağırmalısınız" dedi. Ben de genç bir subay olduğum ve tarzı hareketi henüz bilmediğimden usule aykırı olarak, "Evet sesim müsait değilse de bölüğe verilen emirlerin kesin ve yolunda olarak yaptırılması temin edilmiştir, bir uyuşukluk görülmez Paşam" dedim. Paşa, "Bağır bağır" dedi. Fakat bir aralık Erkânıharbi'ne, "Bölüğün harekâtı yapması yolunda çok bir kusur göze çarpmıyor" diye seslenirken, diğeri de tasdik etti.

Dağınık nizam harekâtı gereğince, Paşa bir bölük meselesi verdi. Ben de takım komutanlarına meseleyi kısaca anlattım ve derhal harekâta geçtik. Karşımızda ufak bir tepe vardı. Bölüğün muharebe yerini Paşa'ya yakın bir yerde seçmiştim.

Takımlar hareket ederken her takım komutanının yanına iki muhabere eri otomatikman iltihak etmiş ve benim bulunduğum yere de bir onbaşı ve iki muhabere eri gelmişti. Bölükte telefon, fırıldak yoktu. Yalnız benim yaptırdığım flâmalar vardı. Arka çantalarının üzerine konmuştu. Paşa, "Nedir bunlar?" diye sorunca, "Muhabere erleridir, flâma ile muhabere edeceklerdir" dedim. İki takım tepeye yanaştıkları vakit, Paşa yeni bir emir verdi. Ben de bu emri kısaca takımlarla flâmayla yazdırdım. Tamamen anlaşılmış ve icraata geçilmişti. İcraat da yolundaydı. Verdiği emirler aralıksız sürdü; ben yerimden ayrılmadan ve başka yaya muhabere eri göndermeden takım komutanları muvaffakiyetle bu emirleri yerine getirdi.

Paşa, "Teftiş bitmiştir, takımlar gelsin" dedi. Boruyla emir verildi. Flâma ile muhabere erlerinin yanıma gönderilmesi takımlarından istenildi, geldiler. Paşa da yanıma geldi. Gelen muhabere erlerine, "Yazılan emirleri çıkartınız" diye Türkçe emir verdi. Arap çocukları, bir şey anlamadıkları için yüzüme baktılar. Ben de, "Paşam henüz Türkçe'yi kendilerine öğretemedim. Malumualiniz bu bölüğe iltihâkım (katılmam) pek eski değildir. Bunların hiçbiri Türkçe bilmez" dedim. "Sen Arapça biliyor musun?" dedi. "Hayır bilmem." "Aman yarabbi gözümle görmesem inanmazdım. Birçok hareket yaptırıldı. Bu emirler flâmayla verildi. Emri veren Arapça bilmez, yapanlar da Türkçe bilmez, bu nasıl oldu?" dedi ve kendisi Halepli olduğu için erlere Arapça söyleyerek yazılan kâğıtları çıkarttı fakat bunlar Türkçe yazılmıştı. Erlere "Okuyun" dedi. Kekelediler. "Hayır, bilmiyorlar" dedim. Yalnız yazıların hurufu munfasıla* ile yazıl-

* O dönemde Osmanlı yazısının kolaylaştırılması için geliştirilen ve harflerin bugünkü matbaa yazısına benzer biçimde bitiştirilmeden, tane tane yazıldığı yeni bir yazı biçimi.

dığını gördüler. Ben de bunları okuyanların takım çavuşları olduğunu söyledim. Paşa, teftiş neticesinden çok memnun kaldığını ve bunun bütün Fırka'ya teşmilini (haberinin yayılmasını) emir verdi. Kurmay başkanı da "Cidden şayanı takdirdir, Paşam" diyerek memnuniyetine katıldı.

3. Bölüğe vekâlet ediyordum. Kısa bir süre sonra Fırka'nın helyostalı helyograf* takımları komutanlığı ve muallimliğine verildim. Ben bu meslekten anlamadığımı bizzat Paşa'ya arz ettim. O da kolorduya yazdı. Gelen cevapta, "O kurs görmüştür, künyesinde de istihkam subaylığı yazılıdır. Mazeretine bakmadan istihdam ediniz" diye bir emir geldi. Fırka Komutanlığı da kolaylık göstereceğini vaat etmesi üzerine bu vazifeye de başladım. Benim istihkam subaylığım şöyleydi: Evet ben Harbiye'den fenni subay olarak çıkmıştım. Çıktığımız sene istihkam subayı az çıkmış olduğu için bizden üç sene içinde fenni derslerden yüksek numara alanların istihkama ayrılabileceği bildirilmiş ve ben de ayrılmış, elbiselerimiz de istihkam subayı elbisesi gelmişti. Sonra babamın arzusu üzerine okul komutanı Vehip Bey'e söyleyip tekrar piyadeye geçmiştim.Bununla beraber Havran ve Cebel-i Duruz'a evvelce yerleştirilmiş olup kullanılmaz hale gelmiş olan onluk helyostalı helyograflar kısmen tamir ettirilmiş, kullanacak erat için de Fırka merkezinde bir kurs açılarak kısa zamanda işler hale getirilmiştir. Bir gün telgraf tellerinin hepsi bir arızaya uğrayacak olsa da, askerin bulunduğu her mevki, birbiriyle gece ve gündüz muhabere edebilecek bir hale getirildi. 25. Nişancı Taburu'nun 3. Bölük Komutanlığı'na bir kıdemli mülazımı evvel tayin edildi. Bu zat Yemen'de binbaşı iken rütbe tasviyesine uğrayan Süleymaniyeli Abdülkadir idi. Mizacı çok şiddetli, fakat çalışkandı.

* Uzak mesafede kablosuz haberleşme için kullanılan bir alet. Mercek ve aynalardan oluşan bir düzenekle, güneş ışığı kullanarak mors alfabesiyle haberleşmeyi sağlardı. 1960'lara kadar pek çok ülke ordusunda kullanılmıştır.

### *Filistin'de Cezayir Kurmak İsteyen Emir*

Yine bir gün 1329 nihayetlerinde (1914 başları) Ferik Sait Sadi Paşa beni çağırarak, "Seni bir takım askerle Dera-Hayfa Demiryolu üzerindeki Şecere İstasyonu'na göndereceğim. O civarın asayişini temin edeceksin. Bilhassa Şecere ve Abidin köylerine yerleştirilmiş olan Mir Abdülkadir'in* faaliyetlerini tektik edeceksin. Eski Cezayir emirlerinin oğulları Mir Abdülkadir ile Mir Ali, civar halkı kendilerine bağlanması için tazyik ediyor ve hatta tertip ettikleri adamları ile belirli şahısları öldürtüyormuş. Halkın heyecanını hem teskin, hem de bu işlerin iç yüzünü inceleyerek ve tahkik ederek bir raporla bana bildiriniz. Takım ihtiyacı ve iaşesi buradan gönderilecektir. İcabında takviye de edileceksiniz" dedi.

Subaylık ve memuriyet hayatımda ilk defa siyasi ve idari bir tahkikata (soruşturmaya) memur ediliyordum, başkaca bir direktif verilmemişti. Bir takım askerle Şecere İstasyonu'na gittim. İstasyon memuru Şamlı İzzet Bey'di. Hoş karşıladı. Orada bulunduğum müddetçe hiçbir yardımdan kaçınmadı. Demiryolu seyyar bakkalından aldığım öteberiyi de askerler pişiremezler diye kendi evinde pişirtti. İnsan-ı kâmil, çok terbiyeli ve nazik bir şahsiyetti. Doğrusu bende çok iyi intibalar bıraktı. Verdiğim direktiflerle devriyeler tertip ettim. Etraftaki seyyar aşiretlerle de temasta bulundum.

Aldığım sonuç hiç de, bilhassa Mir Abdülkadir'in lehinde değildi. Bir-iki katl hadisesi vukua getirmiş, seksen kadar atlıyı silahlandırmış ve bunlara hususi elbise yaptırmış. Bir taraftan gelince kendisini bu hususi süvarilerle karşılatmış, kendi köylerinin ve civarlarındaki köylerin davalarını halle kalkışmış. Velhasıl bütün harekâtıyla müsait bulduğu ve hükümet merkezlerine oldukça da uzak olan bu yerlerde kendi aklınca

* Mir Abdülkadir Arap İsyanı sırasında İngilizlere destek vermiş, ancak Azrak'taki bir köprünün havaya uçurulma işinden son anda cayarak planın suya düşmesine de yol açmıştı.

ikinci bir Cezayir kurup hakiki bir Emir olmak istemiştir. Ağabeyi Emir Ali daha makul bir adam, bu duruma seyirci kalmıştır. Tutulan tahkikat evrakı ile yazılan raporu Fırka Komutanlığı'na sunulmuştur.

## *Ordudan Jandarmaya Geçiş*

1330'un (1914) başlarında Nişancı taburlarının kaldırılıp, jandarmaya katılmasıyla ilgili bir kanun çıkmış, bizim tabur da lağvedilmişti. Güzide erattan yüzer kişilik iki bölük ayrılmış, bir bölük Beyrut'a gönderilmiş bir bölük de Dera'da alıkonulmuştu. Dera'da kalan bölüğün başında beni alıkoymak istediler ama bunu kabul etmeyerek, istifa dilekçemi verdim. Mektep masrafım hazır, esasen bankada bulunuyordu. Dilekçemde, "ordu beni kabul etmediği takdirde" kaydı bulunuyordu. Fırka ve kolordu komutanları da esasen beni seviyorlardı. Kolordu Komutanı Süleyman Şefik Paşa, Suriye vilayeti jandarma alay komutanını çağırtarak, "Selahattin'in jandarmaya geçmesini temin edemezseniz bunun orduda kalmasını Harbiye Nezareti'ne yazacağım. Esasen istifa da etmiştir. Size bir hafta müsaade" demiş. Derhal trenle Şam'dan dönüp, olanları anlattıktan sonra beni iknaya çalıştı. Uğrayacağım her türlü güçlüğü bizzat kendisi çözmeye çalışacağına dair askerlik namusu üzerine yemin edip, jandarma mesleği hakkında ve görülecek işlere ait izahat verdi. Ben de istifa fikrimden vazgeçip, kabul ettim. İki de alaylı subay verdiler. Bunlar da takımlara komuta edeceklerdi. Alınan eratla beraber yüz de iyi ester alınmıştı. Bunlarla Havran Estersüvar* Bölüğü teşkil edilmiş oldu. Vazifeye başlanıldı. Bölüğümüz, Havran Jandarma Komutanlığı'na bağlıydı. İcabında Havran mutasarrıfı da doğrudan doğruya bize emir verebiliyordu.

* Estere, yani katıra binen asker.

## *Jandarmada İlk Muvaffakiyetim*

Bir gün etrafa maaş tevzi ettiğim (dağıttığım) sırada Jandarma Tabur Komutanı Binbaşı Zübeyir Bey beni çağırdı. Colan'dan (Golan) Arap kabilelerinin gazveleri (çatışmaları) sırasında, külliyetli miktarda deveyi, yüz kadar müsellah (silahlandırılmış) şahsın sürüp götürdüğü ve bunların Ezra Jandarma Bölüğü önünden geçerken yaptıkları müsademede iki jandarma erini yaraladıklarını bildirdi ve takip için Dera Jandarma Merkez Bölüğü Süvari takımıyla Estersüvar Bölüğü'nün bizzat alıp hareket edeceğini ve hemen bölüğün hareket haline geçirilmesi emrini verdi. Estersüvar birliğim emir aldıktan beş-on dakika sonra hemen harekete hazır hale getirildi.

Havran Jandarma Taburu'nda temditli (görev süresi uzatılmış) çavuş ve erat vardı. Binbaşı Zübeyir Bey bu eski kıta çavuşlarını toplamış, vaziyeti bunlarla inceliyor, Ezra'daki vakanın arasından beş-altı saat geçtiği için bu çatışmayı çıkaranların kimler olabileceğini ve hangi istikamete gitmeleri lazım geleceğini kestirmeye çalışıyordu. Tabii ben de garip garip bunların haline bakıyordum. Muhit hakkında hiçbir bilgim yoktu. Neticede Müseyifre bucak merkezi istikametinde takibe geçilmesini kararlaştırdılar. Bu vaziyet bidayette (başlangıçta) o kadar garibime gitti ki; haritaya bakıldığı vakit, Ezra kaza merkezi Dera mutasarrıflık merkezinin şimalinde, Colan da Ezra'nın garbında kalıyordu; bizim gideceğimiz istikametin mutasarrıflık merkezinin hemen doğusunda olmasından dolayı bu kadar aykırı hareket edilmesine bir mana verilememesi tabiiydi. Böyle acemilik ve manasızlık içinde harekete geçildi. Önde merkez bölüğünün tecrübeli Süvari Takımı hareket ediyor ve bu takımla beraber ayrıca üç subay ve takımdan hariç Binbaşı Zübeyir Bey'in emrinde yine ayrıca erbaşlar da vardı. Ben de bölüğümle beraber bunları takip ediyordum. Müseyifre'yi geçtik. Önümüzde görünen büyücek bir tepenin gerisinde durduk. Binbaşı Zübeyir Bey maiyetiyle ve diğer subaylarla tepeye çıktılar. Ben de onları takip ettim.

Acemi olduğum için bana aldırış etmiyorlardı; adeta seyirci gibi bulunuyordum. Binbaşı Zübeyir Bey'in elinde bir dürbün, ilerisini Cebel-i Duruz tarafını gözetliyordu. İyice baktı, elindeki dürbünü başkalarına da verdi. "Hiçbir şey görünmüyor. Siz de bakınız" dedi. Ben de bir tarafa çekilerek kendi dürbünümle onların baktığı istikameti gözden geçirdim. Zübeyir Bey'in dürbünü ile bakanlar hiçbir şey göremediklerini söyleyip şu hale göre gazvecilerin bu istikamette geçmediklerine ve müfrezenin dönmesine karar verdiler. Bense dürbünümü sabitleyip büyücek bir köyün hareket halinde olduğuna tesbit etmiş, gazvecilerin bunlardan başkası olmadığına kanaat getirmiştim. Diğerleri kalkmışlar gitmek üzere bulunuyorlardı. Binbaşı Zübeyir Bey'e, "Benim dürbünüm iyidir. Ben gazvecileri gördüm, yalnız biraz uzaktalar. Lütfen dürbünü şöyle tespit edip bakınız, seyyar bir köy göreceksiniz. Hedef budur zannederim" dedim. "Evet" dedi ve bir-iki kişi daha baktı, "Bunlar olacak" dediler.

Binbaşı Zübeyir Bey, alaylı ve yaşlı bir zattı. Bana subayların yanında şöyle emir verdi: "Mesafe uzak, ben ihtiyarım oraya kadar yetişemem. Bütün kuvveti subaylarla birlikte sizin emrinize veriyorum. Bana birkaç atlı bırakınız istediğiniz gibi takip ediniz. Allah muvaffak etsin." Ben derhal işe başladım. "Atına güvenen bir subayla on süvari eri isterim" dedim. Subaylardan biri benim atım iyidir diye ileri çıktı. "Derhal on süvari de ayırınız. Göstereceğim şu istikamete son süratle gidilecek (kuyu bulunduğu anlaşılan üç-dört ağaçlı şu gördünüz mevkiye), atlar geriye çekilecek. Siz bu mevkide bir nevi yem olacaksınız, size bir buçuk kilometre yanaştıkları vakit derhal ateşe başlayacaksınız. Korkmayın yere iyi siper alınız ve süratle ateş ederek, bu kuvveti üzerinize çekiniz. Ben yandan hücum edeceğim. Hayvanlar telef olursa bedeli tazmin edilecektir" dedim.

Subay, yanındaki on süvariyle dörtnala gösterdiğim bölgeye gitti ve aldığı emri harfiyen tatbik etti. Yüz kadar silahlı gazveci, dört nala üzerilerine gelen bu küçük kuvvete çaldıkları hecinler (çok dayanıklı, hızlı, koşucu bir cins deve) ve di-

*Hicaz Demiryolu üzerindeki Busr-ı Eski Şam İstasyonu.*

ğer develere binip yolladığım küçük kuvvete karşılık vermek istedi. Silahlı çatışma başlamış, gazvecilerden birkaçı yaralanmış, bir kısmı da yaya olarak çatışmaya girmişti. Bu sırada ben de bütün kuvveti yayarak, dörtnala yan taraflarından taarruz ettim. Vaziyetin vahametini anlayan gazveciler, yaralılarını alıp kaçmaya başladılar. Yetişmememiz için de bütün develeri üzerimize sürdüler. Deve deryası içinde kalan kuvvetlerimiz bu kitlenin arasından sıyrılıncaya kadar kendileri Cebel-i Duruz içine girmiş oldular. Binbaşı Zübeyir Bey de, "Dürzi içinde fazla ilerlemeyiniz, icap ederse başka yollarla almaya çalışırız" demişti. Biz de fazla takip etmedik. Peşlerinde deve de yoktu.

## *Şeyhler Şeyhi'nin Teşekkürü*

Elde edilen hayvanatın bir kısmı hecin idi. Hepsi seçme ve değerli olan bu hayvanların, koşum takımları da üzerindeydi. Saydırdım, sekiz yüz küsur olduğu anlaşıldı. Benim bölüğün bir kısım efradı esasen Hecinsüvar'dan (deve binen asker) nakil edilmiş olduğundan bu erattan Hecinsüvar müfrezesi tertip edildi ve muntazam bir halde tabur komutanı Binbaşı Zübeyir Bey'in yanına geldik. Hareket ve neticesi arz edildi. Bizden yemlemeye memur edilen erattan bir temditli onbaşının asil kısrağı çatlamış, başkaca yaralı ve zayiatımız yoktu. Binbaşı, "Ben dürbünle takip ettim. Çok iyi hareket ettiniz ve

Cebel içerisine de girmediğiniz iyi oldu, teşekkür ederim. Deve ve hecinleri de sonra sahiplerine teslim edersiniz" dedi ve kendisine verdiğimiz süvarilerle Dera'ya döndü. Süveydiye ve Busr-ı Eski Şam bölükleri, bu harekât neticesinde üç Dürzi'nin yaralanmış olduğu ve gazve ettikleri hayvanlardan hiçbirinin Cebel'e getirilmemiş olduğunu ve bu halin halk üzerinde iyi bir tesir yaptığını bize bildirmişlerdi.

Elde edilen hayvanatın Ruvale aşireti Şeyhülmeşayihi (Şeyhler Şeyhi) ve civardaki Arapların "Sultan-ı Berr" dedikleri Nuri Şalan'a ait olduğunun anlaşılmasından dolayı kendisine, adamlarını gönderip develeri aldırması için telgraf yazıldı. Kendisi bu hali, hayretle karşılayıp bizzat beni görmek üzere yanıma geldi ve maalesef, "Ben ilk defa olarak hükümetten yardım görüyorum. Mutasarrıf Beyefendi'ye de teşekküre gideceğim. Dera'da bir değişiklik olduğunu anladım. Allah muvaffak etsin" dedi ve dualarda bulundu. "Oğlum bu gördüğünüz işle bana en az yirmi beş bin altın kazandırdın. Yoksa bu para gitmişti ve kim bilir ki daha bunun sonunda ne kadar zarar edecek ve belki de ne kadar can kaybında bulunacaktık. Sizin bu hizmetinize karşılık küçük bir hediyede bulunamaz mıyım?" dedi. "Biz vazifemizden başka bir şey yapmadık. Katiyen en ufak bir hediye bile kabul edemem" dedim ve müteessir olduğumu bildirdim. "Allah Allah," dedi ve, "sizi, oğlum Nevvaf kadar sevdim" diye ilave etti. Filhakika, bugünden itibaren Nuri Şalan cidden beni sevdi ve bana karşı büyük bir emniyet ve itimat hissi besledi.

Ertesi sene, her nedense Nuri Şalan'ın Ruvale aşireti çölden çok erken mamureye (kasaba) geldi. Bana Mutasarrıflığın emriyle bu aşiretin kasabaya sokulmaması ve mezruatın (ekinlerin) harap ettirilmemesi emri verildi. Bir avuç askerle on beş bin çadırlık aşireti geri püskürtmek hayli müşkül ve hemen hemen muhal (imkânsız) gibi bir şeydi; akın eden koca bir kuvveti bir tepe gerisine çekerek tertip edilen beş kişilik müfrezeyi hükümet emrini tebliğ için gönderdim. Bu süvarileri aşiret halkı dinlemediği gibi, reislerinin bulunduğu yeri de söylememişler. "Emril Nuri hek" diyerek Nuri Şalan'ın emrinden başka bir şey tanımadıklarını anlatmak istemişler. Hükümetin emri yerine getirilmezse, üzerlerine ateş edileceği bildirilince de, "Biz Nuri'yi tanırız" demişler.

Süvariler dönünce, bütün tehlikesine rağmen zaruri olarak bu aşiretin üzerine ateş açıldı. Verdiğim emir de, "İnsanlara değil develere ateş ediniz"den ibaretti. Çünkü aşiret, mütemadiyen garba akıyordu. Develer vurulmaya başladı. Araplar da ateş ediyordu. Bir aralık atlanıp bize doğru gelmeye teşebbüs ettiler. Fakat uzaktan gelen birkaç atlı bunları çevirdi ve kısa bir müddet sonra da bütün Araplar ateşi kestiler. Yürüyüşleri de durdu. Ben de ateş kestirdim. Görüşmek üzere üç atlı at oynatarak bize doğru gelmeğe başladı, ateş ettirmedim. Bana getirdikleri aşiretin Ruvale aşireti olduğunu, koca aşiretin hemen çöle dönmesine imkân bulunmadığını, hükümetin göstereceği hudut dahilinde kalacaklarını ve mezruata zarar vermeyeceklerine dair Nuri Şalan'ın aşirete sıkı emir verdiğini bildirdiler. Ekili olmayan arazinin geçici sınırları bildirilerek geri dönüldü. Mutasarrıf Beyefendi de yapılan işi uygun buldu ve ertesi günde Nuri Şalan gelerek Mutasarrıf Beyefendi'yle görüşmüş. Aşiretin bulunacağı yerler tespit edilmiş. Başkaca da bu aşiretten şikâyet edilmemiştir. Aşiret kasabaya girdikten sonra ara sıra Nuri Şalan, bu azimetli adam, vakurane görüşür, ayrılırken bana bir evlat muamelesi yapar, aşiretinden bir şey istenirse evvela kendisine bildirmemi rica ederdi.

Ruvale aşireti, çok sıkı disiplinlidir. Fertleri münferit vaka yapamazlar. Şeyhlerine ve şeyhülmeşayihlerine karşı çok bağlıdır. Bilhassa şeyhülmeşayihin emri ve icraatı katidir. İdam ettiği şahsın anası ve babasının bile ses çıkarmadığı söylenir. Ağır cezaları, edep ve terbiye kurallarına uyarak, hükümet memurları huzurunda vermemiş, hükümet içinde hükümet ettiğini göze batacak suretle açıkça yapmamış, saygı göstermiştir. Halbuki Nuri Şalan on beş bin çadırlık seyyar aşiretinden başka Cof havalisinin de mutasarrıfıdır. Badiyetüşşam'da bir mamure olan bu yerin hâkimi doğrudan doğruya kendisi olduğu halde resmi mühründe, "Şeyhülmeşayih-i Ruvale ve Kaymakam-ı Cof " diye yazılıdır. Bununla, hükümet namına idare ettiğini bildirmek ister. Cof'la Beyrut arasında haftada iki gün hususi postası vardır. Bu posta bağımsız olarak vazifesini görür. Kimseye dokunmazlar; kimse de bunlara tecavüz etmez.

Nuri Şalan'ın beş yüz çadırlık da siyahi kölesi vardır. Bunlar maiyet askeri gibidir. Hepsinin ipek halıları hemen bir örnek maşlakları ve hepsinin ayağında da bizim bildiğimiz galoş kundura vardır. Bunların ellerindeki silahlar yeni ve tek bir cinstir. O sıra mavzerdi; 1334 (1918) nihayetlerinde hususi asker teşkil etmiş, hepsi süvari ve şeyhülmeşayihin çadırı ve maiyetini etrafına toplamış beyaz ve mahruti (konik) çadırlarda bulunuyorlardı. Türkçe ve Arapça bilen Bağdatlı eski kâtibinden başka İngilizce ve Fransızca bilen yeni tercümanlar ve kâtipler almış olduğu görüldü. Velediali, Hıreyşe, Serhan, Cubur gibi müstakil birçok aşiretler de istisnasız Nuri Şalan'ın umumi emirlerini yaparlar, aşiretler arasında bir ihtilaf olursa tabii mercileri olan Nuri Şalan'a şikâyet ederler ve onun riyasetindeki (başkanlığındaki) mahkemenin kararına istinaf ve temyizsiz tabi olurlar. Nuri Şalan'ın elindeki değnek yere vurulup da hüküm bildirildi mi aralarındaki hususi teşrifata göre barışmış olurlar.

### *Şeyhülmeşayih'in Paşa'nın Davetinden Çekinmesi*

Bahriye Nazırı olan Cemal Paşa, 4. Ordu ve Garbi Arabistan Komutanı bulunduğu sıralarda kendi vasıtalarıyla Nuri Şalan'ı ve oğlu Nevvaf'i birkaç defa Şam'a davet etmiş fakat Nuri Şalan şüphelendiğinden yanına gitmemiş ve soğuk davranmış. Bir defa da Taberiye sırtlarında bulunduğu sırada bir şifreli emirle beni Nuri Şalan'a gönderdi ve çok acele cevap verilmesini istedi. Ben derhal on beş yirmi süvariyle Nuri Şalan'ın yanına gittim, emirlerini yerine getirdim ve hemen dönerek görüşmenin özünü şifreyle, ayrıntısını da postayla kendilerine arz ettim. Paşa bu kadar uzun mesafenin nasıl katedildiğine ve döner dönmez de cevabın yazıldığına hayret etmiş. Hele kendi emri de alınıp getirilmemiş olsaydı bu hale inanamayacağını da söylemiş.

Bir hafta sonra Dera'dan geçerken Paşa beni çağırttı. Yalnız olarak görüştü. Son vaziyeti açtı. Hayretini gizlemedi. Evvelki bazı safhaları da anlattı. Kendisine bazı hususların yanlış olarak anlatıldığını anlayarak pek hiddet etti. Benden çok memnun olduğunu ilave ederek iltifat etti. Fakat başkasına hiddetle yapılmasına imkân olmayan çok ağır emirler verdi. Paşa'nın bana karşı büyük bir sempati beslediğini yakinen bildiğim ve Paşa'nın da gayesine vakıf olduğum için, Kurmay Başkanı vasıtasıyla bu işin daha iyi bir şekilde halledilebileceğini ve bütün kusurların telafi edilebileceğini ileri sürerek müsaade istedim. "Selahattin deruhte ediyorsa, eski âyan azasından Abdurrahman Paşa'yla da görüşülsün, bir karara bağlansın" diye emir buyrulmuş. Bu durum, hususi treni Dera İstasyonu'nda bulunurken cereyan etti.

Cemal Paşa'yla Nuri Şalan'ın arasını bulacak ve bilhassa Cemal Paşa'nın mevki ve şahsi gururunu okşayacak surette bir mülakat tertip ettim. Abdurrahman Paşa da uygun buldu. Kendisi de bu hususta son derece çalışacağını vaat etti ve filhakika pürüzsüzce bu işlerin cereyanı temin edilmiş oldu; Cemal Paşa da bu durumdan memnun kaldılar. Ben, yalnız bir arkadaş mülahazasıyla bu son gün bizzat bulunamadım. Zaten o gün de bana düşecek bir vazife kalmamıştı. Velhasıl her iki tarafın da yüksek ve asil kalpleri hükümet ile aşiretler arasında şüpheli bir durum bırakmadı.

Büyük Cemal Paşa'nın emir ve komutası hususunda söz söylemek rütbe ve mevkiim itibarıyla haddim değildir. İdarecilik bakımından, dışarıdan yapılan onca tenkitlere rağmen, diyebilirim ki çok yüksek evsaftadır. Değerli valilerimiz kendi yanlarında ancak ikmali tahsile muhtaç talebe halinde bulunabilir, dürüst, her türlü ahlaki bozukluğundan aridir ve çok yüksek vasıflı vatanperverdir. Mizacı sert, bununla beraber hakkı daima teslim eder ve vicdanını bilerek suiistimal etmez. Sayın Korgeneral Ali Fuat (Erden), o zamanki rütbesiyle bildireyim; Erkânı Harp Reisi Miralay Ali Fuat Beyefendi, kendisine lâyık ve askeri usul ve kaidelere çok uygun bir kurmay başkanıydı. Kendilerinin yüksek hizmetlerini o sırada Garbi Arabistan'da bulunanlar çok iyi takdir ederler.

Âliye Divan-ı Harbi kararıyla asılanların içyüzlerini bilmem, yalnız Fransız ve İngiliz konsoloshanelerinden elde ettikleri bildirilen vesikaların fotoğraflarına bakılırsa verilen cezalar kanuna uygundur. Biz bu vesikaların fotoğraflarını ve hüküm özlerini ajans ilan salonlarında gördük. Bu idam keyfiyeti, kendisini uzun boylu tenkite maruz bırakmıştır. O sırada ne Âliye'de ne de Şam'da bulundum. Yalnız memleket idaresi hususunda Cemal Paşa tek cepheli hiçbir iş görmemiştir. Eğer Paşa, almış olduğu bilgiler çerçevesinde şiddet gösterilmesi icap edeceği ve bu şahısların asılmasıyla aksi tesir yapmayacağı yolunda yanlış yola sevk edilmişse, bu olabilir. Esasen bu idam keyfiyetinin önemi, şahıslardan ziyade idealde idi.* Benim bildiğime göre Araplar, askerlik yapmamak ve elden geldiği kadar vergi vermemek, hükümete karşı soğuk davranmak, yabancılık göstermekle kalmayıp, okumuş tabakası da elden geldiği kadar aleyhte propagandaya girişmiş, bunlar harbin başlangıcından itibaren pek güç idare edilegelmişti.

Sonsuz müşkülatı ancak silah kuvvetiyle telafiye daima mecbur kalınıyordu. Kitle halinde firarlar, küçük müfrezelere taarruz ve cinayetler o derece artmıştı ki soğukkanlılıkla bunları karşılamak her zaman mümkün değildi. Benim mıntıkamın haricinde, mesela gerek mutasarrıflık gerek hükümet konağı önündeki nöbetçilerin sık sık vurulmasının tabii hale geldiği söyleniyordu. Kendi mıntıkama ait olanlar da sırası geldikçe arz edilecektir. Koca Garbi Arabistan'da kimbilir ne gibi önemli vakalar olmuştur da böyle kanuni fırsat bulunca umumi idare bakımından lüzumlu görülmüştür.

## *1331 (1915/1916) Lice Harekât-ı Askeriyesi*

Liceliler bedevidirler. Bir kısmı çadır altında, bir kısmı da yine harabe halindeki köylerde yaşarlar. Lice denilen mahal (bucak), insan ve hayvanın geçmesine gayri müsait volkanik ve taşlık bir arazidir. Bu taşlar arasında pek az ekilmeye müsait yerler vardır. Buraları da ekerler. Liceliler, hayvan beslerler. Arazi de pek dar olduğundan geceleri taşlık dışına sarkıp hayvanlarını otlatır, fırsat bulurlarsa dışarıdan öteberi de çalarlar. Bu kara taşlıkta mera kurmaları ve her gün geçim derdiyle mücadeleli hayat geçirmeleri cidden acınacak bir haldir. Hakikatte zavallı insanlardır. Aşiret reisleri olan Saadettin

* Cemal Paşa Kasım 1914'te Filistin 4. Ordu Komutanlığı ve Suriye Valiliği'ne atandı. Mısır'ı İngilizlerden geri almak için düzenlenen Kanal Seferi'nin başarısızlığa uğramasının ardından bölgedeki yönetim tarzını sertleştirdi. Arapların giderek Osmanlı karşıtı tavır takınması ve bu konuda yabancılardan da destek almaları üzerine, muhtemelen gelecekteki olayların önünü almak için, bir grup Arap ileri gelenini idam ettirdi.

Ebu Süleyman, bu kitleyi kendi hesaplarına maharetle idare etmekteydi. Bu taşlığa uzun yıllar hükümet kuvveti girmemiş, girenler de çok içeriye dalamayıp geri çekilmeye mecbur kalmışlardır. Yavuz Sultan Selim'in Mısır seferi sırasında, bu mıntıkada yapılan muharebede ordunun sol cenahı arızaya uğramış; ancak ordu Sultan Selim'in müdahalesiyle toparlanıp yürüyüşe devam edebilmiş.

İkinci defa olarak 1326 (1910) Dürzi İsyanı sırasında Sami Paşa'nın yaptığı askeri harekâtta Lice'ye de girilmiş, bundan sonra Lice'ye münferit hükümet kuvvetleri girmemiştir. Bir vakit Suriye vilayeti Jandarma Alay Komutanı Yarbay Vahit Hakkı Bey, Şam estersüvar askerini alıp Lice'ye girmek üzere Mismiye Kazası'na gelmişse de, ne düşündülerse, taşlıkta ilerlemeyi uygun bulmayıp Şam'a geri dönmüşlerdir. Bir süre sonra bana alelacele bir hazırlık emri verildi. Havran Jandarma Tabur Komutanı Binbaşı Kemal Bey'in emrinde 17 süvari ve merkez birliğinden toplanmış 30 kadar piyade jandarması ile Muhacca İstasyonu'na gönderildik.

Bir gece Licelilerle bu istasyonu korumakla görevli askerler arasında bir müsademe olmuş, üç jandarma eri yaralanmış. Liceliler çekilmiş. Bunun intikamı alınmak isteniyormuş. Binbaşı Kemal Bey, Piyade Jandarma eratını yanında alıkoydu. Kendi etrafında bir halka teşkil ettirdi. Bana da, "Sen süvarilerini al ip mevkiine git, oradan Licelileri içeri sür" dedi. İp mevkii bir subaşı yeridir. Aldığım emre göre o mevkiye gittim. Liceliler bizi ateşle karşıladılar. Epey müsademe ettik, bereket versin yaralı vermedik. Liceliler taşlığa çekildiler. Hava çok sıcaktı, kuyudan askerin ve hayvanatın sularını temin ederek çekildik. Dönerken, elimdeki gümüş kırbacımı kuyu başında unutmuş olduğumu anlamıştım. Cesur askerlerim bu kırbacı hemen alıp getirmek istediler. Epey açılmıştık, ben razı olmadım. Askerler, "Bu kırbacın size ait olduğunu bilirler. Kumandanı vurduk, kırbacını aldık diye şayia çıkarırlar ve öğünürler. Bu kırbacı almazsak olmaz" diye ısrar ettiler. Bunun üzerine iki süvari gönderip kırbacı aldırdım.

## *Hastalığıma Rağmen Göreve Çıkışım*

Licelilerin sağa sola taşması, zarar ve ziyan yapması artmış. Hükümet bir askeri harekât yapmayı kararlaştırmış. Bu sırada ben ağır hastaydım, sarılıktan mustariptim. Yemeden içmeden kesilmiş ve çok zayıf düşmüştüm. Bu haldeyken bir gün Ferik Fahri Paşa'dan doğrudan doğruya bir şifreli tel aldım. Harekâtı askeriyeye filan tarihte başlanacağı vs. yazılmakta, benim de rahatsızlığım kendisince malum olmakla beraber muhite bir tesir yapması için zahmete katlanıp bu harekâta bölüğümle iştirak ve Ahire-Cide koluna teşkil etmem rica ediliyor ve hareket gününe kadar ketumiyetin (gizliliğin) muhafaza edilmesi ilave olunuyordu. Ben, "Medine'ye gidiyoruz" diye bölüğü hazırlamaya başladım. Hatta Birinci Mülazım Kavalalı İbrahim Bey'e bile bu yolda emir verdim. Her şey hazırlandı ve Busr-ı Eski Şam istikametinden Dera'ya yürüyüşe geçildi. Aradan iki buçuk saat geçtikten sonra istikamet değiştirildi. İbrahim Bey'e hakikat gizli söylenmekle beraber efrada yalnız gizli bir takibe gidileceği bildirildi. Böylece bir şafakta Ahire'ye gidildi. Orada iki Cebel bataryasıyla iki piyade bölüğü de emrime girdi. Binbaşı Kemal Bey de, "Ben Vadî Liva istikametine gitmek için emir almıştım. Harekât şimdi başlayacağına göre ben yetişemem. Ahire'de kalayım" dedi. Tabii beni ilgilendirmediği için ses çıkarmadım. Dera'dan hareketimde o kadar kuvvetsizdim ki beni kucaklayıp ata bindirmişler. Kısrağımın yanına iki kısraklı er verilip bu erleri tutmak suretiyle ancak gidebilmiştim. Fakat hüsnüniyet ve gayretle gittikçe açılmaya başladım. Ahire'den harekâta başladıktan sonra taşlıklar arasında bir değnekle yaya gidebilmekte ve askere kolaylıkla komuta edebilmekteydim.

## *Dost Ateşi Altında*

Cidil, Licelilerin isyan merkeziydi. Buraya ilerliyorduk. Cidil'i garpten sarmak için de bir süvari takımıyla Birinci Mülazım İbrahim Bey'i sol cenaha göndermiştim. Şu hale göre iki takım birinci hatta, bir takım da ihtiyatta ilerliyor ve mütemadiyen yaya harbi yapıyorduk. Topçu da Cidil'i dövüyordu. Nihayet Cidil'e geldik, fakat inatçı bir ateşle karşılaştık. İhtiyat kuvvetini de birinci hatta almak mecburiyetinde kaldım. Gelen ateş muntazamdı. Halbuki Licelilerin ateşleri böyle olmaması lazım geldiği düşünüldü. İbrahim Bey taşlıkta irtibatı temin etmişti. Ben karşıya borazanlarla ateşkes emri verdim, aynı cevabı aldık ve ateş kestirildi.

Meğer dost kuvvetlerle ateşe tutuşmuşuz. Ayağa kalkınca iki tarafın askeri kucaklaştı. Bu iş çabuk kavranmış ve çabuk önlenmişti. İki taraftan hiçbir yaralı ve zayiat verilmemişti. Topçuya ateş kestirmek zorlaşmıştı, bin bir müşkülatla ateş kestirildi. Vakit zevali gelmiş, hararet yükselmiş, insan ve hayvan kanter içinde kalmıştı. Asiler de Cidil'den Vadî Liva istikametine çekiliyordu. Cidil'de bir su kuyusu vardı. Ben yüksekçe bir taşın üstüne çıkmış hem suyun tevziini (dağıtımını) temin ediyor ve hem de kaçan usatın (asiler) çekildikleri yerleri gözetliyor, tertip ettiğim yirmi beş kişilik süvari müfrezelerini, peyderpey (kısım kısım) takiplerine gönderiyordum.

### *Fahri Paşa İle Karşılaşma*

Bir müddet sonra Muhacca istikametinden nal sesleri gelmeğe başladı. Dürbünle dikkat ettim, bir kolordu forsası görünüyordu. Ferik Fahri Paşa'nın gelmekte olduğunu anladım. Nihayet geldi. Ben de taştan inip kendisini karşıladım. Hasta halimden beni tanıdı. Tebrik etti. "Harekâtınızı uzaktan takip ediyordum. Çok memnun oldum" dedi. Halihazır vaziyeti sordu. Taşlığa çıkıp gösterdim, yaptığım işi anlattım. Uygun buldular ve bu ayrılan yirmi beşer kişilik gruplara birer kurmay yüzbaşı verilmesini ve benim vazifemin başkasına devrini kurmay başkanlığına emir verdi. Bana da, "Artık siz istirahat ediniz ve beraberimde bulununuz" diye emir verdi. Hakikatta da bitkin haldeydim, istirahata çekildik. İstirahat sırasında şimdiye kadar yapılan işler Paşa'ya daha etraflıca arz edildi. Hayretle dinledikten sonra, hastalığıma rağmen çok canlı hareket edildiği ve büyük başarılar gördüğünü iltifat ederek söyledi. Diğer bazı arkadaşlara da acı acı tenkit buyurdular. Ferik Fahri Paşa çok halûk ve yüksek vicdanlı bir zattı. Orada bulunduğum müddetçe beni sofrasından ayırmadı, ısrarlarıma rağmen bulundurdu; çünkü ben her yemeği yiyemez, yiyenlerin de iştahını kaçırırım diye korkuyordum. Sayın Paşa, tenezzül ederek bu halime de katlanmıştır. Paşa, bütün ele geçirilen hububat, hayvanat vs. bana teslimini ve ancak benim emrimle bir tarafa sevkini, erata yedirilecek hayvanatın da yine benden mazbatayla alınmasını emir buyurdular. Bundan sonra bu işle meşgul oldum.

## *Dürzilerin Yakın İlgisi*

Biraz iyi olunca da Cebel-i Duruz'un Dürzi ahvalini tetkik etmemi ve bir raporla bildirmemi emrettiler. Elli süvarilik bir müfreze alarak Süveydiye'ye gittim. Dürzi Beyleri'ni topladım. Bu işi de muvaffakiyetle yaptım. Selim Paşa Atraş'ın da sadakatı temin edildi. Cidden çok yakınlık gösterdi. Bu beyler içinde öyleleri çıktı ki, "Ya Bey, güzel söylüyorsun, biz de dinliyoruz; fakat sana şunu söyleyelim ki, nihayet cahil adamlarız, bizim aklımız gözümüzdedir, biz hükümet kuvvetlerini gözümüzle görmedikçe soruna yakın hissetmedikçe size hiçbir söz veremeyiz" dediler. Istırap veren bu hali, yukarıda ismi geçen zat ayrıca doğrulamıştı. Bu acayip adamlara ufak bir örnek vermek mecburiyetinde kalmış, bir avuç askerle tehlikeli mıntıkaya, çöle, yani haritalardaki Badiyetüşşam'a açılmak zorunda kaldım. Her tehlikeyi göze alarak bir avuç kahraman askerimle gittim. Aç, susuz bir devir yaptıktan sonra Cebel-i Duruz'un bir akşam kıblesine çıktım.

Buradaki Dürziler cidden candan alaka ve yakınlık gösterdiler. Beyler bizi misafir etmek için adeta paralanıyorlardı. Bu çekişme sırasında hayvanımın dizleri parça parça oldu. Kura atmak mecburiyetinde kaldım. Bunun sonucuna razı oldular. Misafir olduğum tarafın beyi, "şereftir" diye süvari yemlerini bizzat sırtında getirip yüksek misafirperverlik ve yakın alaka gösterdiler. Ben devlet hesabına ve şahsım hesabına bu durumdan çok memnun kaldım. Çünkü tesir yapılmış, istenilen sonuç da iyi bir şekilde alınmıştı. 1331'de alınan bu netice sonuna kadar, ordularımız Arabistan'dan çekilinceye kadar devam etmiş; aradaki bazı hadiseler de bu durumu teyit ve takviye etmiştir ki biraz aşağıda bundan bahis edilmiştir. Cidil'e dönüşümde durum ve daha etraflı malumat, Ferik Fahri Paşa'ya arz edilmiş ve yazılı olarak da bir rapor sunulmuştu. Askeri harekâtın sona ermesi üzerine Ferik Fahri Paşa Medine'ye alınmış, yerine Kurmay Yarbay Emin de piyade alayıyla orada bırakılmıştı. Alay Komutanı Emin Bey, döküntü halindeki Licelileri temizleyerek Zeytun Mevkii'ne sevk edip orada iskanlarını temin edecekti. Fahri Paşa'nın oradan ayrılması üzerine biz de yerlerimize iade edildik, yani Dera'ya döndük.

Aradan kısa bir zaman geçti, vilayet vasıtasıyla Dahiliye Nezareti'nin bir emrini aldım. Bu emirde, Lice Nahiyesi Müdürlüğü teklif ediliyor, kabul edersem mülazımlık maaşım yanı sıra bunun için de ayrıca bir maaş bağlanacağı bildiriliyordu. O sırada Havran ve Kocaeli bölgelerinde ilk tecrübe mahiyetinde departman usulünü tatbik etmek istiyorlardı. Lice nahiyesi de buna dahildi. Filhakika, kendi maaşımla beraber verilmek istenen maaş birinci sınıf kaymakamın maaşına muadildi. Yani 25 altın paraydı. Fakat ben, bir iltifat olmakla beraber rahatsızlığımı ileri sürerek bu tayini reddettim. Başkaca da bu harekâttan bir istifade görmedim, yani kıdem veya nakdi mükafat da almadım.

## *Havranlılarla Dürziler Arasındaki Kan Davaları*

Cebel-i Duruz Beyleri bir gün Sadaret makamına bir telgraf çekerek, Havranlılarla aralarındaki kan davalarının çözüme kavuşturulması için benimle, Havran müftüsünün memur edilmesini istemişler. Bu makam da uygun bularak Suriye vilayetine emir vermiş. Havran müftüsü çok yaşlı, ak sakallı, yirmiye yakın kez hacca gitmiş çok mübarek bir zattı. Bu zatla Havran Şeyhülmeşayihi İsmail Efendi (çok güzel Türkçe konuşan, okur yazar ve özel eğitim görmüş eski şeyhülmeşayihin oğlu, seksen yaşlarında, çok dinç bir zattı) ve bazı adamlarını almış, Cebel-i Duruz'a geçmek üzere Havran'ın Kerek köyünde toplanmıştık. Ertesi günü Süveydiye'ye geçerek, Dürzilerle müzakereye başlayacaktık.

Ertesi sabah kahvaltı ettiğimiz sıralarda kesif (yoğun) tüfek ateşi duyduk. Benim yanımda yalnız iki süvari eri vardı. Birisine, "Git, bu ateşler nedir, anla da gel" dedim. Gitti on beş dakika sonra geldi. Hemen garbımızdaki iki köy, bir arazi meselesinden müsademeye tutuşmuş, kadın erkek sapır sapır dökülmekte, çok telefat vermektedir. Biz kan davası çözmeye gidiyoruz, yanımızda çok kan dökülüyormuş, gerçi askerimiz yok, fakat Havran'ın en nüfuzlu şeyhi yanımızdaydı. Şeyhülmeşayih İsmail Efendi'ye dönüp, "Biz bu yeni işi hemen halletmezsek Cebel-i Duruz'a gitmemiz çok ayıp olur. Gerçi jandarmamız yok, fakat siz ve ben diğer değerli meşayihin burada mevcudiyeti bu işin halline kafidir. Ben her iki köye aynı zamanda elimdeki bu iki jandarmayı göndereyim. Bunlar her iki köye aynı anda haber versinler. Müfreze Komutanı Selahattin'le Şeyhülmeşayih İsmail Efendi ve maiyetindeki meşayih her iki tarafın ateşi arasına girecekler. Sakın ateş etmeyin, desinler" dedim.

## *İki Ateş Arasında*

Şeyhülmeşayih İsmail Efendi, "Aman Selahattin Bey, bunların gözleri kızmış, seni ve beni dinleyip ateş keserler mi, bilakis ikimizi de vururlar, kimvurduya gideriz. Arada yirmiden fazla ölü de varmış, vallahi ben cesaret edip giremem" dedi. Diğer şeyhe de, "Siz ne dersiniz?" dedi. Doğrudan, "Ya Şeyhülmeşayih, ateş arasına sakın girmeyin, inanılmaz" dediler. Ben, "Olamaz, bu kadar insanı göz göre göre öldürtemeyiz, girmeliyiz. Mukadderatı ilahiyeye tabii olmalıyız" dedim. İki jandarmaya, "İşittiniz ya sen filan köye, sen de filan köye gidecek yüksek sesle dediklerimi söyleyecek, ben kefiyemi sallayarak iki ateş arasına gireceğim. Allah'ını seven ateş etmesin diye bağıracaksınız" dedim ve araya kısa fasıla vererek ilerledik. Ateş devam ediyor, iki tarafta kayıplar veriyordu. İki ateş arasına tam gireceğimiz zaman, şeyhülmeşayih "Aman Selahattin Bey, ben giremem, şimdiden fenalık gelmeye başladı" dedi. Diğer şeyhler de kaldılar. Ben ipekli beyaz kefiyemi elime alıp "Allah Allah" diye sallayıp iki ateş arasına girdim. İki tarafta ateşi kesti ve benim etrafımda halka oldular. "Ya Selahattin sen ne cesaretle aramıza girdin, sen yaralansaydın veya ölseydin kıyamete kadar bize matem bırakırdın. Bizim ölümümüzden ne çıkar?" dediler. İki tarafı ayırdım, köylerine doğru yürüttüm. Şeyhler de ateş kesildikten sonra geldiler. Ölen kadın ve erkekleri görünce, "Allah senden razı olsun. Seni hakikaten istisnasız, çoluk çocuğa varıncaya kadar hepsi sever. İşte bunu ispat ettin" dediler. Herkesin gözyaşları ve dualarıyla oradan ayrıldık. Fakat her iki tarafın da sükûnete geçmeleri temin edilmişti. Bu mühim iş halledildikten sonra Süveydiye'ye gidilmiş, bir günde de oradaki dava da halledilmişti.

## *Tarafların Sevgisini Kazanmam*

Bir müddet sonra Dürzilerin İstanbul'daki Sadaret'e (Sadrazamlığa) müracaatları üzerine askıda kalmış başka kan davalarının halline gidilmiş, bunlar arasında da sulh engelsizce temin edilmiştir. Gerek Havranlılar gerekse Dürziler bana iyice ısınmışlardı. Esasen her iki taraf da bana olan rabıta ve sevgiden istifade ediyorlardı. Dünyaya hâkim olan adalet ve şahsi feragat, her yerde kendini gösteriyordu. Dürzilerin bana olan meyilleri yalnız Havranlılar nezdindeki nüfuzumdan dolayı değildi. Yine kendi ifadelerine göre Urban-ı Badiye'ye* sözüm geçmesi ve birçok aşiret reisinin şahsi dostum olmasının da büyük tesiri olduğunu da kayıt etmeden geçemem. Filhakika her iki tarafta benim bu durumumdan açıkça istifade ediyor, bunlar arasındaki kan davaları da fiili şekilde muvakkaten (geçici) de olsa tatbik olunmuyordu. Bilhassa Urban-ı Badiye Dürzileri çok kızıyor, kitle halinde taarruzu bile düşünüyorlardı. Bana bunu hissettirdikleri zaman kendilerini sükûnete getirecek sözler söylüyor, katiyen teşebbüs etmemelerini rica ediyordum ve bu ricam hüsnü kabul görüyordu. Kan davalarının sulhü ile uğraştığım sırada bazı Dürzi beyleri, "Urban'la da aramızdaki davaların görülmesini sizden rica edeceğiz, ne dersiniz?" diye fikrimi yokladılar. "İyi olur yine müracaat edersiniz, halline çalışırım. Hiçbir tarafın incinmesini istemem. Rahat ve emniyet altında yaşamalısınız" diye karşılıkta bulundum.

* Çölde ve taşlık arazide yaşayan konar göçer Araplar; Çöl Göçerleri.

### *Bozguncu Aşirete Ders*

Ehli Şimal (bu namla anılan, Cebel-i Duruz bölgesinden ayrılmayan ve Dürzilere çobanlık yapan bin beş yüz çadırlık bir Arap aşireti) Dera Liva merkezine bağlı Müseyifre nahiyesi bölgesine ani, mevsimsiz inip ekinlere zarar vermişti. Halkın şikâyeti üzerine bu aşiretin reisine yanıma gelmesi için iki kere tezkere yazdım. Gönderdiğim süvarilere de ekilmiş mıntıkalardan derhal çekilmelerini, aksi takdirde tedip edebileceğimin (başkalarına ders olacak şekilde cezalandırabileceğimin) de tebliğini emrettim. Ne geldiler ne çekildiler. "Su yok nereye gideceğiz?" diye cevap vermişler. Hiç aldırış etmemişler. Dürzi nüfuzuna da güvenmişler. Verdikleri ziyan her geçen gün artıyordu. Elimdeki kuvvetim bütün Havran'a dağılmıştı ve ancak, elli süvarilik bir gücüm vardı. Ehli Şimal'in sert ve kuvvetli olduğu bence de malum fakat bu aşiret hiç evvelce Havran'a inmemiş olduğu için benim her iki taraf da bir diğerinin kuvvetleri hakkında ancak kulaktan dolma bilgi sahibiydiler. Emirlerime aldırış bile etmemeleri beni halka karşı mahcup duruma düşürüyor, hareket içinse kuvvet toplamaya mecbur bulunuyordum.

Askerimin gittiği yerden geri çekilmesi bilhassa mevsim ve vazife itibariyle mahsurluydu, o sırada bulunduğumuz mıntıkada ordu süvarisi de yoktu. Uğradığımız muameleyi sükûtla karşılamak, devlet nüfuz ve kudretini kıracak ve şahsi nüfuzumu hiçe indirecekti. Zaruri olarak bu işin şahsi cepheden halli hazımdı. Hiçbir tarafa başka haber vermeden Hıreyşe aşiretinin reisi ve birbirimizi kardeş gibi sevdiğimiz Hadise'yi çağırttım. (Hıreyşe aşireti Ben-i Sabır aşiretinden sonra gelen büyük bir aşirettir.) Vaziyeti anlattım, bu aşiretin tedibine karar verdiğimi söyledim. Aşiretiyle sözü geçen aşiretin etrafının çevrilmesini ve hele Cebel'le muvasala yollarının tamamıyla kesilmesini ve bana yardımını rica ettim. Kardeşimden farkı olmayan bu genç reis, "Siz merak etmeyin. Bu geceden itibaren işe başlar, neticesini size bildiririm" dedi ve ayrıldı.

Filhakika koca aşiretiyle işe başlamış, bu bin beş yüz çadırlık Ehli Şimal aşiretini tamamıyla örümcek ağının içine almıştı. Bu feci vaziyeti gören Ehli Şimal, buradan kurtulma çarelerine baş vurmuşlarsa da Hıreyşe aşireti, "Hiçbir tarafa gidemezsiniz. Aksi takdirde sizi vurur tamamıyla yağma ederiz ve alacağımız emri âliyi de (yukarıdan alacağımız emri de) sulh suretiyle iade etmeyiz. Emir, Selahattin Bey'indir. Ondan bir emir getirirseniz ne âlâ, yoksa kendi kendinize Cebel'e çekilmenize artık imkân yoktur" demişler. Ciddi durum alınca dışarıda bulunan adamları mutasarrıfa (bugünkü vali ve kaymakam arasına denk düşen mülki amir) baş vurmuşlar. Mutasarrıf da, "Benim haberim yok, yalnız şimdiye kadar neden çekilmediniz? İcraat Selahattin Bey'e aittir. Ona gidiniz" demiş. Filhakika bana geldiler. "Mutasarrıf beyefendi gönderdi, bizi affedip yol versin" dediler. Ben de aşiretten haberim yokmuş gibi, "Pekâlâ Cebel'e derhal gidiniz" dedim. "Hıreyşe sizden emir gelmedikçe bizi bırakmayacakmış" dedi. "Benim aşiretten haberim yok. Size evvelce emir verdiğim vakit niye gitmediniz, alay ettiniz, çekiliniz, şimdi kendi kendinize gidiniz" dedim.

Bunlar tekrar mutasarrıfa gidip, "Siz emir vermezseniz biz mahvolacağız" diye ağlamaya başlamışlar. Mutasarrıf beyefendi beni çağırdı. "Bunlar ağlayıp duruyor, ben bu defalık affediyorum. Siz de müsamaha ediniz" dedi. Kendilerine ayrıca nasihat etti. "Zarar ve ziyanı da ödersiniz" dedi. Sonra kordon çözdürüldü. Bunlar da yerlerine döndüler. Köylülerle aşiret usulü sulh oldular ve bu suretle askeri kuvvet kullanmaksızın devletin icraatı da yerine getirilmiş oldu.

Ertesi sene yine bu aşiret gelmiş, aynı yer civarına konmuş. Yerli halkın şikâyeti üzerine yazılı ihtardan anlamayan bu aşirete üç kişilik bir süvari müfrezesi göndererek gayri mezra yere çekilmesi talep edildi. "Peki" dedikleri halde çekilmemiş olmalarından bu ihtar tekrarlandı. Tesadüf Hıreyşe aşireti bu sene o civarda değillerdi. Yüz süvarilik bir müfrezeyle üzerlerine gitmek mecburiyetinde kaldım. Daha evvelce arz ettiğim gibi bunlar bin beş yüz çadırlık bir aşiretti. Ora usulünce her çadırda beş silahlı itibarıyle 7.500 kişilik bir kuvveti vardı. Bu kuvvet cahil aşiret reisini gururlandırıyordu. Tam şafak sökmeğe başladığı sırada kuvvetimle orada bulundum. Altmış kişilik bir kuvveti münasip bir yere yerleştirdim. Geri kalan kuvveti de ikiye ayırarak bir kısmını doğrudan doğruya aşiret reisinin çadırına, diğer kısmını da su başına gönderdim.

Aşiret reisinin çadırına gidenler çabuk geldiler. "Reis erkenden gitmiş" dediler. "Şu halde su başına gidiniz" dedim. Bir müddet sonra bir kalabalıkla geldiler. Birisi bağırıp çağırıyor, belindeki kılıcı vermek istemiyor. Tabancasını almışlar. Askerler şikâyet ediyor: "Bu adam çok aksi ve asi, tabancasını da zorla aldık. Reisi de budur. Aşiretin kendisini kurtarması için haber gönderdi. Gideni tutamadık." Filhakika çadırlar karıştı ve bir taraftan sökülmeğe başladı. Aradan çok geçmeden muntazam ateş de gelmeğe başladı. Gerçi oranın en iyi ve hâkim mevzii elimdeydi ve yeter miktarda da cephanemiz vardı. Fakat kan dökülmemesi için her çareye baş vurulması lazımdı. Şeyh'e mevzideki süvari müfrezesini ve siperlere açılmış cephaneyi gösterdim. "Çok kırılırsınız. Bize geriden de takviye gelir, bu sefer sizi tamamıyla temizlerim. Çabuk haber gönder ateş kessinler. Hem canını, hem de aşiretini bu suretle kurtar" dedim. Kılıcını aldık. Elde edilmiş Araplardan ikisinin gönderilmesini rica etti. Müsaade ettim. Bunlar gidince ateş kesildi. Şeyh, çocuk gibi ağlıyor ve bana yalvarıyor, "Bizde bir aşiret reisinin belinden kılıcı alınırsa artık o adam reislik yapamaz. Azledilmiş sayılır. Aşiretim bunu anlarsa rezil olurum. Ben bu sene gelmeyecektim fakat zorladılar. Aman Kumandan Bey beni affet" diyor, mütemadiyen ağlıyordu.

Adamcağızın hakiki gözyaşlarına dayanamadım. Elde edilmiş bütün Arapları toplayarak adamcağızın yüzünü de yıkattıktan sonra, "Sizin aşiret reisi yani şeyhiniz hakikaten çok yiğit ve çok mert. Aşiretine çok bağlı bir adamdır. Ben bunun kılıcını rızasıyla ve ananevi bir kılıç olması dolayısıyla iyice görmek ve muayene etmek ve bu kılıcı taşıyan şeyhleri hayırla anmak için aldım. Hakikaten iyi, güzel ve şeyhlere layık bir kılıçtır. İşte kahraman varisi ve hamiline kendi elimle takmak suretiyle hükümet namına da şeyhliğini teyit ediyorum. Hayırlı ve mübarek olsun" dedim. Şeyh elimi öptü, sonra beklemediği bu hale o kadar dua etti ki tarif edilemez. Tabii son duaları ve sevinçleri aşireti efradı uzaklaştıktan sonra yapılıyordu. Aşiretinin sayım durumu incelendi. Kaçak koyunları liva merkezine gönderildi. Reisle elde edilen diğer Araplar serbest bırakıldı. Dolayısıyla bu asi aşiret de itaat dairesine getirilmiş ve manen de devlete bağlılığı temin edilmiş oldu.

### *Köylerden Yiyecek Toplama*

Kudüs'ün düşmesinden sonra zahire ambarları da düşmanın eline geçmiş, ordu yiyecek hususunda sıkıntıya düşmüştü. Garbi Arabistan Komutanı Ferik Cemal Paşa'dan Havran mutasarrıflığına gelen bir şifreli telde keyfiyet bildiriliyor. Yeniden toplanacak buğday ve arpanın bekletilmeksizin hemen sevki isteniyordu. Halbuki o sene, aşar halktan tamamen toplanmış. Hükümetin bir alacağı kalmamıştı. Havran Jandarma Komutanı Kıdemli Yarbay Bey beni çağırdı keyfiyeti anlattı. "İkimiz de bu işe el koymazsak zahire temin edilemez. Ben Ezra tarafına gideyim. Siz de Aclun bölgesine gidiniz, elde edilecek buğday, arpa, bulguru doğrudan doğruya Şeria ambarına sevk ettiriniz" dedi.

Aclun bölgesi fakir, esasen buraları bağlık mıntıkaydı. "Ben bu muhiti bilmem, zahire de az bulunur diyorlar. Emir emirdir, gideyim" dedim. Hemen hareket ettim. Aclun kazasının en güneyinden başladım. Oradan merkeze doğru tarama yapacaktım. İlk büyücek bir köye geldik. Bizzat ben anlatayım dedim, yanıma aldığım iki erle köyü dolaşmaya başladım. Filhakika evler büyüktü ve köy kalabalıktı. Bir tarafta beş altı kadın ayakta duruyor ve konuşuyorlardı. Bir tarafta bir mangal üzerinde de kapalı bir tencere vardı. Yanlarına gittim, "Evde erkeğiniz var mı" dedim. Elimi uzatıp açmak istedim. Bir kadın mâni oldu. "Ne yapacaksınız Bey," dedi, "açmayınız." "Niçin?" dedim. "Size yarayacak yemek değil, biz idare ediyoruz" dedi. Başı önüne eğildi. "Aç hemşire ben yabancı değilim, benden size ziyan gelmez ve bizim yiyeceğimiz de var" dedim. "Açmayınız çok rica ederim. Keşke olsaydı da sizi de misafir etseydik" dedi. Bu ısrar benim merakımı daha da artırdı. Açtım, bayağı ot vardı, bir iki damla da yağ. "Kardeşim sizin ambarınızı görmek isterim. Bana gösteriniz, bu kadınlar da beraber gelsinler" dedim. "Bir şeyimiz yok, olur ya bulunmaz fakat yerini göreyim olmadığını gözümle göreyim" dedim.

Filhakika ambarlar boş, yalnız bir buçuk kilo kadar bir tasta bulgur vardı. Yağ da yoktu. İyice her tarafı muayene ettim. Yoktu. Muhtelif yerlerde rasgele birkaç evi muayene ettim. Durum çok kötüydü. Köyün şeyhini sıkıştırdım. Köydeki buğday olan yerleri söyledi. Birisini gidip muayene ettim. Filhakika var, fakat bu belli zenginler de halka yardım ediyormuş. Bizim asker zahire aramakta mahirdi. İki grup halinde yoklattım. Netice menfiydi. Askeri çektim. Şeyh'e, "Her evin bir yıllık ihtiyacı hariç diğerlerini kendiliklerinden getirsinler. Ben askerle evlerinden toplatmayacağım ve kimseye zor etmeyeceğim" dedim. Halk şaşmış. Aralarında konuşmuşlar, "Biz de hakiki miktarı veririz" demişler. Filhakika gösterilen yere o sıra zengince bulunanlar çuval çuval zahire taşıdılar. Diğerleri de hallerine göre getirdiler. Halk biriktiği vakit, "İhtiyacı olandan istemiyorum, insan kendi rızkını başkasına vermez, çok rica ederim yiyeceklerini götürsünler" dedim. Velhasıl halk, rızalarıyla ve hiçbir tazyike maruz kalmaksızın kendiliğinden getirdiler. Aynı şekilde iyi davranarak diğer köylerden de toplamaya başladım. Halk, biz sizi duyarız ve severiz, diye eziyetsiz fazla zahire getirmeye başladılar.

## *Ezra'da Büyük İsyan*

Fakat Şeria'dan gelen sivrisinekler beni zehirledi ve ağır hasta olarak kaza merkezine ve oradan da liva merkezine gelerek tedavi altına alındım. Aradan üç-dört gün geçtikten sonra Ezra'da isyan çıktığını jandarma karakollarının basıldığını ve isyanın gittikçe büyüdüğünü haber aldım. Hasta hasta merkezde vazifeye başladım. Benden mütemadiyen kuvvet istiyorlardı. Ben de müfrezeler geldikçe gönderiyordum. Çanakkale Harbi'nden gelmiş bir piyade alayı da liva merkezinde bulunuyordu. Alay Komutanı, Mevkii Komutanı sıfatıyla ara sıra jandarmaya da emir veriyordu. Benim istirahatlı olduğum halde çalıştığımı da biliyordu. Bir gün bana geldi ve, "Ben buranın yabancısıyım. Cemal Paşa'ya yazdım, durumu anlattım. Bu muhitin yabancısıyım. Kendi kendime yapamam. Muhite aşina ve herkesçe tanınan jandarma estersüvar komutanının buradan ayrılmamasının emredilmesini bildirdim. Herhalde bir iki güne kadar müspet veya menfi bir cevap gelir. Sizden ricam, emir gelinceye kadar bir tarafa ayrılmayınız. Bir tarafa asker göndermek lazım gelirse Alayım hazır. Keyfiyeti mutasarrıf beyefendiye de arz ettim" dedi.

Ertesi günü Ezra'ya gelmiş olan Suriye Valisi telgraf başında beni buldu. "Geri kalan askerle hemen Ezra'ya hareket et. Suriye Alay Komutanı da sizinle görüşecek" dedi. O da aynı emri veriyordu. İki kuvvet arasında kalmıştım. Ben at üstünde duracak halde değildim. Tedavi altındaydım. Durum dolayısıyla yerimde vazifeyi deruhte etmiştim (üstlenmiştim). Esasen hastane doktorlarının tedavisi altındaydım. "Başhekimle görüşeyim, müsaade ederse geleyim" dedim. Filhakika Askeri Hastahane Başhekimi Lütfü Bey'e söyledim. "Olamaz, sen bu halde dışarıda vazife göremezsin, isterlerse heyeti sıhhiye rapor verir" dedi.

Mevki komutanını da tembih etmiş olduğu anlaşılıyordu. Kendi amirlerim mağdur oldular. Evvelce de beş ay kadar hastanede Arabistan hummasından yattığımı doktorların olurunu almak zorundaydım. Çok halsizdim, yerinde vazife almayı da zaruri görüyordum. Asiler liva merkezini de basabilirlerdi. Usat (asi) miktarının on bin süvari ve ona yakın piyade olduğu söyleniyordu. İki gün sonra Cemal Paşa'nın emri geldi. Bunda Havran Livası iki mıntıkaya ayrılmakta, liva merkezi dahil Aclun ve Busr-ı Eski Şam kazalarının idare ve inzibatı, doğrudan doğruya benim emrime; Ezra, Süveydiye ve Mismiye kazaları da Havran Jandarma Tabur Komutanı emrine veriliyordu. Şu hale göre sevk ve idare hakkındaki tereddüt de bu şekilde sona ermiş bulunuyordu. Kazalar için hazırlamış olduğum bir emri, telle (telgrafla) derhal verdim. İstasyon muhafızlarıyla istasyon memurlarına da amirleri vasıtasıyla gerekli emirleri ilettim. Her akşam muayyen saatlerde mülkiye ve hat telgrafhanelerinden raporlar veriliyordu.

Bir gün cenup istasyonlarından birisi, "Araplar tarafından istasyonun basılıp ateş altına alındığını, hemen kuvvet sevk edilmezse makinenin ve istasyonun terk edileceğini, muhaberenin devam ettiği şu dakikada da kurşun yağmuru altında bulunduğunu, Arapların kimler olduğunu ve miktarını bilmediğini" bildirmiş. Hareket müfettişi de bir makine hazırlatarak emre hazır bulundurmuş. Hat telgrafhanesine gittiğimde hareket müfettişi de oradaydı. "Aman Selahattin Bey, vaziyet vahim, böyle olursa bu istasyonların sekiz-on kişiyle muhafazası zor. Bunları derhal takviye edelim" dedi. Arkadaşım olan zata, "Sakin olunuz. Biraz ben telle görüşeyim" dedim.

İstasyon memurunu sıkıştırdım. Arap olan bu memur aynı nakaratı tekrarladı. Telgraf memuruna, "Yaz," dedim, "sana kuvvet göndermeyeceğim. Oradaki erat şehit ve gazi olmayınca her aradığım dakikada seni makine başında bulmazsam, sana en ağır muameleyi yapacağım" dedim. "Hareket müfettişini, ne de bu memuru sık sık arasınlar. Oraya askerin lüzumu yok" dedim. Rica etmek istedi, "Olamaz, siz yalnız iki makine ve dört vagonu daima hazır bulundurunuz. Alınacak mühim haberleri derhal bana bildiriniz" dedim.

Aradan iki saat geçmeden kuzeydeki Müzeyrip iaşe ambarının basıldığını haber verdiler. Hazır olan kuvvetler demiryolundan, süvari de karadan sevk edildi. Araplar iki ateş arasında kalarak aldıklarını geri bıraktılar. Biraz da yaralı verdiler. Hareket Müfettişi hayretle, "Ne güzel buluş" dedi. Ertesi günü öğleye doğru, "Cenup'taki istasyon memuru ne oldu, makine başında ölmesin?" dedim. Güldü, "Ben de merakla takip ettim. Ne istasyonun bir camı kırılmış ne asker yaralanmış, ne de Arap istasyonun yakınlarına sokulmuş" dedi. "Ona göre memurlara şiddetli emir verirsiniz, aksi takdirde çok ağır ceza görürler" dedim. Bu harekât-ı askeriyede benim mıntıkamda bundan farklı faaliyette bulunan istasyon basılmamıştır.

## *Busr-ı Eski Şam Kalesi Baskını*

Beş binden fazla atlı asinin Eski Şam Kalesi'ni kuşattığı, Suriye Vilayet Jandarma Komutanlığı'ndan ve Eski Şam Kaymakamlığı'ndan telle bildirdiler. Acele olarak yetişilmezse kalenin düşeceği ilave olundu. O sırada elimde, ancak otuz beş jandarma süvarisi mevcuttu. Piyade harekâtı hem ağır olacak hem sonuçsuz kalacaktı. İdari tedbirlerle daha iyi iş göreceğime kaniydim. Oradaki jandarma bölüğü de pek zayıftı. Bir miktar cephaneyi mekkareye (yük hayvanı) yüklettim. Sırf Allah'ın inayetine sığınarak bir avuç jandarmayla hareket ettim. Yolda yaptığım tahkikat fena netice veriyor, usat miktarının mübalağasız olarak fazla olduğu ve birçok yerleri yağma ettikleri bilgisi geliyordu. Yol yarı olmuştu ve hava oldukça sıcaktı. Karşımızdan Eski Şam istikametinden müsellah (silahlandırılmış) kuvvetlerin gelmekte olduğu görüldü.

Aramızda ancak bir kilometre mesafe vardı. Hemen tertiplenmek icap etti. Süvariyi attan indirdim ve atları münasip bir yere çektirdim. Gösterdiğim hat derhal tutulmuş ve şiddetli ateşe başlamıştı. Mevzimiz çok iyi ve maskeli idi. Karşımızdan gelenler şaşırdılar. Ateşleri de, çekilişleri de gayri muntazam ve zayıftı... Onlar da bize karşı kendi kendilerine göre bir plan

*Busr-ı Eski Şam Kalesi.*

uygulamaya koydular. Sağımızdan sarmaya çalıştılar. Ben kuvvet kaydırarak sağı takviye ettim ve ateşi şiddetlendirdim. İlerleyemediler. Açıktan sol cenahımıza zayıf kuvvet çıkardılar ama kurşun yağmuru karşısında sonuç alamadılar. Geniş bir sahada böylece ateş devam etti. Karşımızdaki kuvvetleri sığındıkları yerden kımıldayamaz hale getirdik. Halbuki elimizdeki tüfeklerin on tanesi kapaklıydı ve bunlardan üçü ateş ederken bozulmuştu. Nihayet akşama yakın kefiyeler teslim alameti olarak sallanmaya başladı. Kabul ettim, pek yakınımızda bir köy vardı. Asilerin bu köyde yerleştirilmelerini uygun gördüm.

### *Kale Halkının Sevgi Gösterisi*

Bunlar Serdiye aşiretindendi. Aralarında nam salmış aşiret reisi Galib-i Genc'le amcasının oğulları ve diğer ileri gelenlerin bulunduğunu anladım. Evvela bunların yanıma gelmesini söyledim. Geldiler, kendilerini bir miktar askerle köye götürdüm. Soğuk muamele yapmadım. Sonra süvarilerin tayin ettiğim yerlere yerleştirilmesini söyledim. Galib-i Genc, kendisinin asi olmadığını, hükümet emrine hizmete amade olduğunu söyledi. Ben de kendilerinin asi olmadığını bildiğimi söyledim. Bunlar iki yüz kadardı. Reislerini yanımda yatırdım. Diğerleri de vukuatsız bir gece geçirdiler.

Gece görüştüğümüzde Galib-i Genc, "Sen asker oğlu askersin. Ben de güya bu aşiretlerin en tanınmış şahsiyetiydim fakat itiraf ediyorum: Bir avuç askerle beni ancak senin maharetin ve cesaretin esir almıştır. Allah'a büyük yemin ederek sizi temin ederim, ne burada, ne başka yerde size karşı hiçbir harekette bulunmam" dedi. Ben de, "Sizin mert ve asil olduğunuzu bilirim. Siz de şahsen emin olunuz, benden size bir fenalık gelmez. Buyurunuz silahınızı ve kılıcınızı" dedim. Gayri ihtiyari ağladı. Arkadaşlarının da silahlarını verdirdim. Benden müsaade alıp yanındaki bir şahsı da diğer aşiret eratı arasına gönderip tembihlerde bulundu. "Doğrusunu söyleyeyim mi, bu kadar zayıf kuvvetle bulunduğunuzu bilseydim size teslim olmazdım; fakat işitirdim: Siz muvaffakiyetli bir adamsınız" dedi. Ertesi günü hedefine gitmek zaruriydi. Bunları yerlerine iade ettim. Biz de yolumuza devam ettik.

Eski Şam'a geldiğimde kaleye eşraf, halk ve hükümet memurları sığınmış. Bizi görünce haykırışlar, sevinç gözyaşları ve, "Yaşa" sedalarıyla karşılandık. Herkes kefiye ve mendil de salladı. Memur ve halkı teskin ettim. Kaleden çıkardım, yerlerine gittiler. Meğer benim Serdiye aşiretiyle müsademeye tutuştuğumu, başta Galib-i Genc olmak üzere Serdiye aşireti cengaverlerini esir aldığımı, bazı kaçan aşiret süvarileri geceden kuşatmayı sürdüren asilere söylemişler. Onlar da yanımda büyük kuvvet var zannıyla geceden kaçmışlar ve başkaca bir yağmada bulunmamışlar.

Eski Şamlılar asilere fiilen direnmiş ve hükümete sadık kalmışlar. Halkın şahsıma karşı büyük bir emniyet ve itimadı vardı. Yanımdaki kuvvetin azlığını anladıktan sonra bile bu itimatları sarsılmadı. Yağma edilen malların istirdadını (kurtarılıp geri verilmesini) benden istediler. Ben de yine Eski Şamlılardan münasip gördüğüm bazı kimselerle tezkereler yazıp aldıkları eşyaları geri istedim. İsimlerini bilmediğim bu şahıslar, yağmaladıkları malları iade ettiler ve bu eşyalar gittikten sonra halk daha da rahatladı. Burada beş-altı gün kaldıktan sonra merkeze döndüm.

Yine bir gün bölgemizin şimal kısmında beş yüz kadar atlı asinin dolaştığı haber verildi. Bir tabur piyade alarak gece harekete geçildi ve ertesi sabah asilerin bulunduğu bildirilen yere varıldı. Askerin sevk ve idaresi, ordu komutanının emriyle bana verilmişti. Ateş emrini vermek yetkisi de ben de bulunuyordu. Bir bölük komutanın emir dışında hareket etmesi nedeniyle, tabur komutanlığı hakkında kanuni işlem yapmıştı. Çünkü hiç yoktan korkup kaçan ve asilerle ilgisi olmayan birkaç Arap yaralanmıştı. Burada da isyancılara tesadüf edilmedi fakat hareket iyi tesir bıraktı. Benim yaptığım böyle bir iki hareketle, isyanın umumileşmesinin önü alındı. Böylece isyan belli bir sınırın dışına çıkamamış oldu. Halbuki bu isyanı idare edenlerin gayesi hiç de böyle değildi.

*Siyasi Bir Cinayet*

Bir gece yatsı sıralarında, kaymakamlardan rapor almak üzere Mülkiye Telgrafhanesi'ne gittiğimde, köşede bir makine başında yabancı birini gördüm. Memurlara, "Bunun işi ne, dışarı çıksın" dedim. Memurun biri de, "Bu Ezra maliye tahsildarıdır. Artık tahsilat yapmadığı için buraya gelmiş. Ezra ile konuşuyor. Buraya geldiğini haber veriyor. Zararsız bir adamdır. Kendisi Kürt'tür" dediler. "İşi bitince dışarı çıksın" dedim ve ben kazalarla muhabereye başladım. Bu adamcağız da beş altı dakika sonra işini bitirip dışarı çıktı. Ben Eski Şam ve Aclun kazalarından raporu aldıktan sonra hat telgrafhanesine gidip mühim bir iş olup olmadığını sordum.

Bu sırada koşa koşa bir jandarma devriyesi gelerek, "Bizim Jandarma Dairesi'nin elli adım garbında Dera köyü yanında tabancayla birisini vurmuşlar. Çantası paraları yerde, adam derhal ölmüş. Takibe jandarmalar çıktı. Karakol Komutanı beni size haber vermeye gönderdi" dedi. Ben de vaka mahalline gittim. Adamcağızın epey mücadele ettiği üstünün başının yırtılmış ve ellerindeki bazı arızalardan anlaşılmaktaydı. Kurbanın güçlü kuvvetli olmasından suçlunun birden fazla olması muhtemeldi. Yerdeki paralara ve dağınık haldeki pullara kimse el sürmemiş. Belinde bir tabanca kılıfı vardı. Tabancayı aradık, yerde de yoktu.

Ağır Ceza Müdde-i Umumisi'ne gönderdiğimiz habere menfi (olumsuz) cevap geldi. Rahatsız olduğundan gelemeyeceğini bildirmiş. Benim de maksadım para ve pulların zayi olmadan toplanmasıydı. Başına çift nöbetçi bırakıp çekildik. Jandarmamız hakikaten yetişmiş meslek sever insanlardı. Gece para ve külliyetli pulları hiç saymayıp olduğu gibi yerde bıraktığımız halde ertesi günü keşfi vs. yaptırıp, defterdarlığa da hesapları yaptırıldığında ne para ve ne de pulda hiçbir eksiklik olmamıştır. Paraların alınmadığına göre para için öldürülmediği, Ezra'dan geldiğine göre siyasi bir maksada kurban gittiği anlaşılmıştı. Bütün soruşturmalar da cinayetin şahsi bir düşmanlığa dayanmadığı neticesini vermiş ve maalesef faili de meçhul kalmıştı. Yalnız bazı kanaat üzerine de idari tedbirler alınmış ve bazı resmi şahsiyetler o muhitten uzaklaştırılmıştır.

Yine liva merkezine yakın bir köye beş yüz kişilik bir asi kuvveti, benim bir piyade alayı ile üzerlerine hareket edeceğimi haber alır almaz derhal çekilmiştir. Bunlar, bölüğümden beş estersüvar erinin yolunu çevirip, at ve katırlarını kılıçlarla yaralayıp, ellerinden silah ve cephanelerini almışlar. Ancak başlarındaki şahsiyet bunun kendisine pek pahalıya mal olacağını anlayıp, silahları alınıp bırakılan askerlerimizin peşinden adamlarını göndermiş ve, "Silah ve cephanelerinizi geri alın, bir eksik varsa söyleyin. Sizlere cahil bazı adamların bilmeyerek yaptığı fena muameleyi Selahattin Bey'e söylemeyin. İsterseniz size tazminat da veririz" dedirtmiş. Bizim müfreze eratı da, "Bu yaralı hayvanları Selahattin Bey görüp de soracak olursa ne diyeceğiz, yalan mı söyleyeceğiz? Buna imkân yok. Yalnız son sözlerinizi ve hareketlerinizi olduğu gibi söyleriz" demişler. Asiler de, "Biz çekilip gidiyoruz ve bir daha bu mıntıkaya ayak basmayız" diyerek, derhal çekilip gitmişler. Asi Arapların yegâne korkusu amansız takibime maruz kalmalarıdır. Bir defa karar verildikten sonra her ne pahasına olursa olsun en ağır şekilde cezalandırılacaklarına kanaat getirmiş bulunuyorlardı. Velhasıl, piyade alayının ve buna eklenen ağır silahların toplu bir halde kullanılmasına meydan verecek hareketlerden kaçırmışlardı.

Ezra'daki ikinci grubun takip harekâtına gelince, bir nebze yukarda da arz ettiğim gibi on binlerce asi süvari ve hemen aynı miktardaki yaya asinin takiplerine ancak birkaç yüz süvariyle, yine miktar itibariyle kifayetsiz piyade ve Cebel Bataryaları'yla çıkılmış, birkaç yerde çarpışma olmuşsa da ahenksiz ve sayıca da oransız bir güçle bunlara gereken dersin verilemeyeceği sonucuna varılmıştı. Bunun üzerine benimle istişarede bulunmak üzere Suriye Vilayet Jandarma Alay Komutanı Vahit Hakkı Bey trenle Dera'ya geldi. Yapılan harekât hakkında etraflıca izahat verdi.

Şayet ben o mıntıkanın komutanı olsaydım, işin neticesiz uzayıp gitmesine mani olmak için, bu ahval ve şerait (durum ve şartlar) altında ne yolda hareket yapacağımı açıkça sordu. Ben de, "İsyan Ezra ilçesinden çıkmıştır. Bu isyanın mürettipleri (tertipçileri) kimlerdir, yapılan tahkikattan ne netice alınmıştır?" diye sordum. "İsyanın mürettipleri hakkında bir fikir edinemedik" dedi. "Şu halde bu muhitte asilerle ciddi müsademeye tutuşsanız bile müessir bir netice alamazsınız çünkü eriyecek kuvvetlerin yerine yeni kuvvetler çıkacaktır. Halbuki esas bunları idare eden nafiz şahsiyetler elde edilirse diğer kuvvetler buz gibi erir, kendiliklerinden gelip teslim olurlar" dedim.

Tabii bu fikir de kendilerine tatmin edici bir mahiyette görünmüyordu. "Pekâlâ sizin anladığınıza göre bunlar kimlerdir, biz ne yapalım?" dedi. Kendi görüşüme göre kim olduklarını anlattım. İcraata gelince, benim de ricam kabul edilmek ve fazlasına gidilmemek kaydıyla ancak arz edebileceğimi ve bilhassa manevi mesuliyetten kendimi vareste tutabilmem (kurtarabilmem) için bu keyfiyete lüzum gördüğümü arz ettim. Ciddiyetime kani ve sözümde ısrar edeceğime inanan bu zat, "Size söz veririm. Kayıt ve ricalarınızı yerine getiririm" dedi. Ben de şahsi görüşlerimi ve isyanı çıkaranlar hakkındaki görüşlerimi bildirdim.

İcraata yani askeri harekâtın planına gelince, üç yeri (N... İ... C..) kasaba ve köylerini aynı saatte saracak ve her kolda aynı miktarda topçu bulundurarak kuvvetlerini üç bölgede eşit tutacaktı. Üç yer de nal şeklinde çevrilecek, böylece batıda açık bir kısım bırakılacak, buralardan kadın ve çoluk çocuğun çıkması sağlanacak, bunlara hiçbir surette ne piyade ne de topçu ateşi açılacaktı. Bilahare, her tarafta aynı saat ve dakikada ateş açılacak, topçuya yalnız bu yerlerdeki belli birkaç yüksek binaya ateş ettirilecek, etrafa taşacak asilere de öldürmek için değil saf dışı bırakmak üzere yaralamak için ateş ettirilecek, zorunlu olmadıkça piyadeye de ateş emri verilmeyecek, kötü bir sonuç alınırsa da kapalı bir telle durum bana bildirilecekti. Bu ana hatlar dahilinde etraflıca görüşüldükten sonra, Vahit Hakkı Bey, aynı gün döndü.

Ayrıldıktan üç gün sonra aldığım açık bir telde, "Harekât muvaffakiyetle neticelendi. Asi kuvvetler de yerlerine dönmektedir" deniliyordu. Bu harekât, askerin sevk ve idaresinden ziyade, bölgenin örf ve âdetlerini, şahsiyetlerin iyi tanınmasını, halkının ruh halinin iyi bilinmesini ve dikkate alınmasını gerektiriyordu. Bu husustaki mütalaamdan istifade edilmesi yerinde olmuş ve komutanı için de bir muvaffakiyet temin etmiştir.

## *İttihatçı Mutasarrıfın Acımasızlığı*

Eski ittihatçılardan kurmay binbaşılığından ayrılma Abdülkadir Bey (Cumhuriyet'in ilanından sonra İzmir suikasti nedeniyle Ankara valisiyken idam edilmişti), Havran'da mutasarrıftı. Bir gün Cebel-i Duruz'un Amirî beylerinden (...) Bey'i her nasılsa Dera'ya getirtmiş, Jandarma Merkez Karakolu'na hapis ettirmiş. Karakol Komutanı, çok iyi ve doğru tanıdığımız Süryani bir onbaşıydı. Akşam üzeri Mutasarrıf Abdülkadir Bey, bunu çağırtıp, "Bu akşam göndermiş olduğum Amirî Beyi'ni ayaklarından tavana asacaksın. Gece ben de göreceğim. Emrimi yapmazsan seni asarım" demiş. Ben o gece dış vazifeden gelmiştim. Karakol komutanı onbaşı durumu bana anlatırken, korkusundan bacakları titriyordu.

Asılması emredilen Dürzi beyi, gençliğine rağmen Cebel-i Duruz'da hatırı sayılır bir beydi ve ona karşı yanlış bir hareket isyan çıkarabilirdi. Yapmasa, mutasarrıf haşin ve belki de dilediğini yaptırabilirdi. Ben karakol komutanına "Peki, bu tehdidi yapacaksın diyelim, kendisine ne soracaksın?" dedim. "Bana mutasarrıf bir şey söylemedi" dedi. "Niçin bu işi polise yaptırmıyor da size yaptırıyor?" dedim. "Bilmiyorum" dedi. Ben de, "Devlet kuvvetleri oyuncak değildir. Başta komutanlar varken karakol komutanının doğrudan doğruya mutasarrıftan emir alıp kanunsuz iş yapılması da doğru değildir. O beyi boş bir odaya koyunuz. Yiyecek ve içeceğini temin ediniz. Kendisine de emniyet veriniz. Ne için hapis edildiği anlaşılıncaya kadar burada kalır. Katiyen kendisine dokunmayacaksınız. Nöbetçilere tembih ediniz. Gruptan sonra dışarıdan getirilecek suçlulardan başka hiçbir sivil içeri girmeyecektir.

Zorla girmek isterse kati şekilde men edilecektir. Bana da haber verirsiniz" dedim.

Onlar da öyle yapmışlar. Karakol komutanı, nöbetçilere kesin emir vererek gitmiş. Gece yarısı mutasarrıf gelmiş. Nöbetçiler, "Yasaktır" demişler. "Ben mutasarrıfım" demiş. "Gece yarısı ne işiniz var, yarın gelirsiniz. Gece sivil kimse girmesi yasak" demişler. Tekrar girmek isteyince süngüleri çevirmişler. "Karakol komutanını çağırın" demiş. "Akşamleyin gitti, bir daha gelmedi" demişler. İşi anlayan mutasarrıf, ertesi gün karakol komutanını da çağırmadı. Amirî Beyi, karakola atılmasının sebebini öğrenmek için yazdığı dilekçesine mutasarrıftan cevap almayınca, sebepsiz yere hapsedildiğini telgrafla 4. Ordu Komutanı Büyük Cemal Paşa'ya şikâyet etti. 48 saat sonra derhal tahliyesi emri geldi ve evine döndü.

### *İşkenceye Ağlamam*

Abdülkadir Bey, bir gün de çok iyi olarak tanıdığımız Hırbetülgazelî Şeyhi'yle Müseyifre nahiyesine bağlı iki köyün Katolik ileri gelenlerini ve bir Müslüman'ı çağırtarak hapsettirmiş. Ancak bu defa bunlar o yerin en büyük jandarma komutanı kılavuzluğunda alınıp götürülmüş. Ertesi günü bunların dövdürüleceğini işittim. O sırada ben yalnız Estersüvar Bölüğü'ne bakıyordum. Böyle şuursuzca hareketler hiç hoşuma gitmiyor ve bunun iyi netice vermeyeceğini biliyordum. Hükümet civarından çekildim.

Bu adamlar, Hükümet Konağı bahçesinin trapezden yapılmış parmaklıklarına ayakları sıkı sıkı bağlanmış, başta komutanları olmak üzere jandarma erlerinin eline kalın sopalar verilmiş bu biçare mazlumların ayaklarına bütün kuvvetleriyle vurmaya başlamışlar. "Ne duruyorsunuz, niye hızlı vurmuyorsunuz?" diye haykırmışlar. Bu kudurmuş insanların karşısında jandarmalar vurmaya devam etmişler, nihayet bu zavallı şahıslar birer külçe haline geldikleri görülünce terk edilmiş, bu kahraman "Don Kişot"lar da oradan çekilmişler. Bu engisizyonvari işkenceyi ve sonunu bana yetiştirdiler. Birinci Harbi Umumi içinde her biri birer sergerde (çetebaşı) kesilen ve cezai bir duygu ve korkuları olmayan bu canavarların elinden kurtulmak hemen hemen mucizevi bir keyfiyetti, kim onları kime nasıl şikâyet edebilirdi?

Yegâne çare isyan etmek, mukabelede bulunmaktı. Hırbetülgazelî Şeyhi asil ruhlu bir adamdı. Müslüman'ı Müslüman'a kırdırmak istemezdi. Nitekim nihayette gözlerinden yaşlar düştüğü halde mukabil hiçbir harekette bulunmadı. Bu adamların zulmünü muteakip orada bulunan doktorlara bizzat haber yolladım. Çok dikkatle muayene ve tedavi etmelerini, masraflarının şahsıma ait bulunduğunu, bu halde kendilerinin terk edilmemelerini rica ettim ve gözyaşlarıyla ruhumun ıstırabını gösterdim.

Mühim bir sebep olmaksızın yapılan ve yaptırılan bu işkenceye insanoğlunun bir mana vermesine imkân ve ihtimal yoktur. Yegâne söylenecek söz, verilecek vasıf "kudurmuş insanlar"dan ibarettir. Doktorların hepsi, "Benim kadar müteessir olduklarını, arzu dahilinde kendilerine iyi bakılacağını, masrafa gelince mümkün olursa resmi şekilde yürüteceklerini aksi takdirde kendileri tarafından tazmin edileceğini ve katiyen merak etmememi, kendilerinin tedavi sonundan emin bulunduklarını" söylediler. Bu zavallıları ilk tedavilerinin ardından askeri hastaneye aldılar. Tedavilerini müteakip, yerlerine gönderildiler. Ömrümde ilk defa bir işkencenin sonucunu gördüm. Zavallı beşeriyet. Evet ben bir askerdim müsademe ediyor, ölüyor ve öldürüyorduk fakat ele geçmiş sağlam ve yaralılara bir fena muamele yaptığımı ömrüm boyunca bilmiyorum.

### *Askeri Attan İndirip Yaralı Arapları Bindirdim*

Bir defa yüz kişilik süvari kuvvetiyle bir aşiretle müsademe etmiştik. Araplardan yaralanan altısı çatışma mahallinden kaçamayıp elimize düştü. Mağlup olan seyyar aşiret çekilmişti. Bu yaralıları taşımak için verdiğim emir şu idi: Gösterdiğim altı eri atlarından indirdim, yaralıları bindirdim. Asker de bidayette pek de beni bilmedikleri için söylenmeye başladı. "Bunlar için niçin kendi hayvanlarımızdan inelim? Bunlar zaten vurulmuş, burada öldürelim, bırakalım" diyorlardı. Araplardan birisi bunu anlamış, "Ya Seydi, biz aldığımız bu yara ile ölmeyiz, bizi öldürmeyiniz" diye yalvarıyordu. "Sizi öldürmek şöyle dursun tedavi ettirip aşiretinize sapasağlam teslim edeceğim."

Askere de dönerek, "Hepiniz böyle yaralanabilirsiniz, biz de yaralanınca Arap bizi öldürsün mü? Bu hususta biz hükümeti temsil ediyoruz" dedim. Çavuşa, "Yaya kalan süvari eratını yarım saatte bir at binenlerle değiştirecek, bana da haber vereceksin" diye emir verdim. Yaya kalan eratın da yüzü güldü. "Biz değişeceğimizi bilmiyorduk. Böyle hiç yorgunluk olmaz" dediler. Askeri kırmamak için fazla bir şey demedim. İlk defa icraatıma muhatap bulunuyorlardı.

Hakikaten yaralıları tedavi ettirdikten sonra aşiretlerine iade ettim. Araplar da böyle muameleyi ilk defa görüyorlardı. Seneler devam ettikçe Araplar öyle alıştılar ki, karşılarında benimle müsaademe ettiklerini anladıkları anda ateş kesip istediklerimizi derhal yerine getirdiklerini ve hatta cana da mal olsa buna tahammül ettiklerini gördüm. Bu hale hayret etmiyor, kendimce tabii buluyordum. Çünkü Arap da anlamıştı ki karşısında zulmeden biri değil, sırf vazife ifa eden bir şahsiyet vardı.

## *Hüveytat Aşireti'nin Yaptıkları*

Hüveytat aşireti, Hıreyşe aşiretinden sonra gelen altı bin çadırlık bir seyyar aşiretti. Disiplini gevşek, halkı sert, yırtıcı, en adi şeylere kadar tenezzül eden hırsızlardandı. Arap aşiretleri içinde kadınlara el atan ve alçakça soyan yegâne aşiretti. Bu vahşi ve saldırgan aşiretten gerek Urban–ı Badiye (Çöl Göçerleri) ve gerekse yerli aşiretler çok çekinir. Çünkü Arap usul ve kaidelerine de riayet etmez, çok zalim ve hunharlardır.

Aşiret reisi bulunan Ude Ebu Taya* haddi zatında sofu ve insaflı bir adamken ağır hastalığa tutulmuş, aşiretin diğer ileri gelenleri aşiretlerinin düzenini temin edememişlerdi. Esasen hunhar olan halk da her tarafa saldırmaya başlamıştı. Dera'ya yakın bir köyden üç genç ve güzel kadını, anadan doğma soymuşlar, çöle bırakmışlar. Bu biçare kadınlar bir elleri önde ve bir elleri arkada oldukları halde bin bir zahmetle köylerinin kenarına kadar gelmişler. Duvar diplerine çömelerek haykırıp birer entari getirtip hacaletle (utançla) köye girmişlerdir.

*Ude Ebu Taya*

Yine bir gün Müzeyrip bucak merkezi bostanlarını yağma, henüz yetişmemiş kısmını da tahrip etmişlerdir. Bu yerlerden uzaklaştırmak için gittiğimde, kalkmaları için mühlet vermiştim. Harekete başladıkları sırada acele etmeleri için çadırlarına sokulmuştum. Müfrezenin komutanı olduğumu anlayan ve develere yükletmekle meşgul olan kadınlardan biri bana, "Ya Bey, bizi niye kaldırıyorsunuz, henüz üç dört gün evvel gelmiştik. Bize hiç rahat vermiyorsunuz. Bahusus biz kadınları hiç düşünmüyorsunuz, bize günah değil mi, bu koca aşiretin içinde deve üstünde bile gidemeyecek nice kadınlarımız var. Yine kimisi de doğurmak üzeredir. Biz erkek değiliz ki her cefaya tahammül edelim. Aşiret kadınlarımız bu yüzden çok kırılıyor" gibi hallerini anlatıp ve muhatabına tesir yapacak kadar sözler söyledi. Vahşi bildiğimiz bu aşiret içersinde ne ince ruhlu, saf ve nezih insanlar da bulunduğuna şaşmamanın imkânı yoktu. Öyle şeyler söylüyordu ki sanki bu söyleyen ve bu aşiretin ıstırabını tarif eden kadının bu aşiretten değilmiş de çalınıp bir taraftan getirildiğine insan bayağı kani oluyordu.

* Ude Ebu Taya, daha sonra Casus Lawrence aracılığıyla tüm aşiretiyle birlikte İngiliz saflarına geçmiş ve Arap İsyanı boyunca Lawrence'a yakın destek vermişti. İkilinin dostluğu Akabe'nin alınışı sırasında pekişmişti. 1962'de çekilen *Lawrence of Arabia* filminde Ebu Taya'yı Anthony Quinn canlandırdı.

"Siz bu aşiretten misiniz? Yoksa bir taraftan gelin mi geldiniz?" dedim. "Hayır bu aşirettenim" dedi. "Bana söylediğiniz bu sözleri niçin kendi erkeklerinize anlatmıyorsunuz. Aklı başında bazı kadınlar pekâlâ bu işi yapabilirler. Konduğunuz yerlerde erkekleriniz hiç rahat durmuyor. Yedikleri için haydi 'ihtiyaçları vardı' diyelim. Henüz yetişmemiş sebze ve mahsulü niçin harap ediyorlar? Köylüler insan değil mi, Müslüman değil mi, bunların yaşamak hakları yok mu?" dedim. Kadıncağız iç çekti: "Bizim erkeklerimiz vahşidir. Biz de ne kadar söyledik, kendilerinden zulümden başka bir cevap alamadık." "Öyle değil mi?" diye yanındaki iki kadının da yüzüne baktı, buna ihtiyaç da hissetti. O kadınlar da, "Evet bizim erkeklerimiz zalimdir. Bizlere de acımazlar ve dinlemezler. Ne yapalım biz de Allah'a sığınırız. Siz de haklısınız, Ya Bey" dediler. Ben de fazla kalmayarak ayrıldım.

Askeri yerleştirmiş olduğum küçük bir tepeye geldiğimde devriyeden gelen erlerimizin Hüveytat aşiretinden beş kişiyi getirmiş olduklarını gördüm. "Bunları niye getirdiniz" dedim. "Ekinleri harap ederken bizzat gördük, halkın şikâyeti üzerine de yakaladık" dediler. Fena halde öfkelenmiş, içlerinden tam karşımda duranına, "Niçin ekinleri harap ediyorsunuz? Siz ne vahşi insanlarsınız" diyerek bir iki tokat attım. Kaçmak isterken Arap jandarmalar yakaladı.

Bu Arap jandarmalara, "Siz ne biçim Müslümansınız, bu Türk kâfirine dövdürmek için beni tutarsınız? Türkler gâvur oğlu gâvurdur. Nasıl olur da siz evlad-ı Arap bunlarla beraber olursunuz?" dedi. Arap jandarmalar da, "Sen Müslüman olsan evvela halkın yiyeceğini harap etmezsin. Sonra bu gâvur dediğin Türk kumandan kadar biz evlad-ı Arap Müslüman olamayız. Müslümanlığı bizden daha iyi bilir ve bize Müslümanlık öğretir. Kimsenin ırz ve namusuna, mal ve canına dokunmaz. Dokunanları da çok ağır ceza eder. Sen bunun yanında Müslümanlık iddia edemezsin" dedi.

## *Arap'la Müslümanlık İmtihanı*

Bu acayip konuşmayı sükûnetle dinledim. Ve garip düşüncelere daldım. Urban ve Aşair'in, Türkler ve Türk subayları aleyhinde adamakıllı zehirlenmiş, Türklerin kıpkızıl kâfir, katli caiz kimseler olduğuna inandırılmış olduğuna ve bunun gelecekteki bazı planlar çerçevesinde yapılmış olduğunu anladım. Bu fena zihniyetin ve propagandanın ortadan kaldırılmasının ihmal edilmemesine karar vererek, konuşmaya, "Arap halkına böyle söylenmiş ve böyle öğretilmiş" diyerek katıldım. Arap da, "Ey billah öyle" dedi. Devam ettim, "Ben de diyorum ki, Türkler en birinci Müslümandır." Arap yine, "Haşâ" dedi. "Acele etme bak ne söyleyeceğim" deyip şöyle devam ettim: "Şimdi (jandarmaları göstererek), şu evlad-ı Arap her ikimizi de imtihan etsin. Hangimiz Müslümanlığı bilmezse, o kâfir demektir. Bilen şu sopayı alacak, öbürünün ayağına elli sopa vuracak, Ben yemin ediyorum, bu işe razıyım. İşte tabancamı da bunlara veriyorum." Arap güldü ve sevindi. "Ey billah ben de razıyım" dedi. "Haydi gel yan yana oturalım" dedim. Şaşıran ve tereddüt gösteren askere, "Yok, Arap'ın da inanacağı gibi basit şeylerden sor, çekinme" dedim. İş ciddiye binmiş. Arap'ın yüzünde meserret leması (sevinç pırıltısı) belirmişti. O kani idi ki Türk gâvurdur. Cevap veremez. Kendisi nasıl olsa Arap olduğu için kolay cevap verecekti. Sual başladı ve evvela Arap'a sordular:

"Peygamberin kimdir?"

(Arap sevinçle ve serbestçe) "Nuri Şalan."

Bana sordular: "Peygamberin kimdir?"

"Hazreti Muhammed Sallallahü aleyhü vesselam efendimizdir."

Arap hayretle yüzüme baktı.

Arap'a sordular:

"İslamın binası veya şartları kaçtır?"

Cevap yok.

Bana sordular:

"İslamın şartları kaçtır?"

"Beştir. Birincisi Kelime-i şahadettir. Eşhedü enne la ilaheillallah ve eşhedü enne Muhammeden abduhü ve resuluhü, demektir. İkincisi: Salat, yani beş vakit namazdır. Üçüncüsü: Savm yani ramazan orucu tutmaktır. Dördüncüsü zekat. Yani senede bir kere malının kırkta birini ayırıp fukaraya vermektir. Beşincisi: Malen ve bedenen kudreti olan ömründe bir kere Hac etmektir."

Arap'a sordular:

"Kaç kitap Cenab-ı Hak'tan nazil olmuştur?"

Arap cevap vermedi.

Benim cevabım hazırdı:

"Cenab-ı Hak'tan peygamberlere 104 kitap nazil olmuştur. Yüzü suhuf-ı şerife ve dördü de büyük kitaplardır. Dört büyük kitaptan Tevrat Musa aleyhisselama, Zebur Davut aleyhisselama, İncil İsa aleyhisselama, Kur'an-ı Azimüşşan da peygamberimiz Muhammed el Mustafa Sallallahü teala aleyhi vessellem efendimiz hazretlerine nazil olmuştur. Hükmü kıyamete kadar bakidir." Tüm cevaplarımı Arap'a da iyice anlattılar. Can kulağıyla dinleyen Arap iç çekti. "Eyvah gâvur biz imişiz. Türkler de Müslümanmış şimdi inandım. Bize çok yanlış söylemişler değil mi" diye arkadaşlarına sordu. "Onlar da bize yalan söylemişler" dediler. Benimle imtihan olan Arap, "Sen haklıymışsın, istersen öldür, hakkındır" diye dayak yemek üzere ayaklarını uzattı. Ben de ayağa kalktım. Tabancam ve sopamı aldım. Arap'a vuracak gibi yaptım fakat vurmadım, "Ya Arap kalk. Bu ceza sana kafi, eğer Allah'ını, peygamberini öğrendinse artık sen de Müslüman oldun demektir. Müslüman olan din kardeşine eziyet etmez. Bir daha yapmayacağınıza tövbe ederseniz sizi serbest bırakacağım" dedim. Tövbe ettiler. Bıraktım. Bu fiili propaganda derhal tesirini gösterdi. Türklerin kâfirliğini bir daha işitmedim. Yahut tesadüfen yanımda söylenmedi.

# Arap İsyanı Havran'da

*Urban-ı Badiye (Çöl Göçerleri)*

## *Yine Hüveytatlılar*

Ertesi sene çölden geldiklerinde Hüveytat yine azıtmıştı. Yine, ekinler ve bir soygunculuk meselesinden gönderilen bir müfrezeyle çatışmaya girerek ele geçirdikleri bir jandarmamızı, âdetleri olduğu üzere anadan doğma soymuşlar, elinden silah ve cephanesini de almışlardı. Bu hal, esas müfreze eratımıza ve diğer jandarmalara fena halde dokunmuş. Bunlar da, silahını kaptıran ve soyulan –birliğe de yeni katılmış– eri, "Sen bizim şeref ve haysiyetimizi hiçe indirdin" diye güzelce dövmüşler.

Bu rezaleti, "Belki silahı alırız" diye üç gün kadar da bana söylememişler. Nihayet haberim oldu. Silah ve cephanenin aynen iadesini istedim. "Cebel-i Duruz'a sattık. Dürziler de geri vermiyorlar" diye cevap verdiler. "Silah ve cephane gelmeyince bu aşiret kasaba dahilinde bulunamaz, çöle gitsin" diye haber yolladım. Cevap bile vermemişler, bilakis boğazda seyreden bir grup jandarma bunların kurduğu pusudan güçlükle kurtulmuş. Bunun üzerine acele gönderilen müfreze ile aralarında çıkan çatışmada, aşiretin elebaşlarından biri maktül düşmüş, birkaç şahıs da yaralanmış. Aşirete, silah ve ve cephaneleri iade etmedikleri takdirde, çöle sürülecekleri haberini gönderdim. Kadınları ve rastgeldiklerini çırılçıplak soymak, hükümetten halka verilen hububat paralarını yollarını kesip ellerinden alarak, "Buğdaylarınızı hükümete niye satıyorsunuz, satmayın" diye tembih etmek gibi suçlar tekrar edecek olursa ağır surette cezalandırılacaklarını tarafsız şahıslar aracılığıyla söylettim.

## *Öldürülen Pilotlar*

Filhakika, Hüveytatlılar gittikçe işi azıtıyor, hükümetin aleyhinde cephe alıyorlardı. Müflihul Cehmani, aşiret reisi Ude Ebu Taya'nın, "Söyle Selahattin'e avucumla kanını içeceğim ve böyle yapmak için de Allah'a ahdettim" dediğini bana yeminler ederek söyledi. Müflihul, "O kadar rica ettim, aşiretin rahat durmuyor, bunun önüne geçin" deyince, "Ben biliyorum işimi, yeminliyim yapacağım" diye yanıt vermiş. Müflihul da korkmuş, "Aman bu zâlim aşiretin eline düşme" diyerek bana yalvardı.

Aradan iki ay kadar bir müddet geçti. Merhum Büyük Cemal Paşa, Cebel-i Duruz'da Süveydiye'de bir tayyare (uçak) gösterisi yaptırmıştı. Çok alçaktan yapılan bu gösteride tayyare büyük kışlaya çarparak düşmüş, pilotu da hafif yaralı olarak kurtulmuştu. Bu tayyarenin enkazı Süveydiye'den Dera'ya getirilirken tayyare askerlerinden ikisi tüfek kurşunlarıyla şehit edilmiş ve ellerinden mavzer filintalarıyla cephaneleri alınmış, gece husule getirilen bu vakada failler anlaşılamamıştı.

Şehit edilen bu genç askerlerin ikisi de İstanbullu, gönüllü olarak askere katılmış, saf ve temiz simalı idi. Üzerlerindeki askeri elbiseleri de hususi yaptırdıkları anlaşılıyordu. İçlerinden birisi vurulduktan sonra gayret edip bir köye kadar gelmiş. Durumu, köyün şeyhine anlatmış ve hemen kapısının ağzında son nefesini vermiş. Şeyh de lazım gelen hürmetle cenazeyi ayak altından kaldırmış ve üzerini temiz, beyaz bir çarşafla örtmüş.

## *Ayaklanan Çöl*

Dera'da bu vaka telaş uyandırmış, evvela askeri yönüyle el konulmuşsa da bir netice alınamadığından olay yerinde soruşturulup suçluların meydana çıkartılması, gerekirse başkalarına ders olacak şekilde cezalandırılması istenmişti. Vakayı haber alan 4. Ordu Kumandanı Cemal Paşa da telgraf makinesi başında vakayı takibe başlamıştı. Ben şehitleri ve şehit edildikleri yerleri gördükten sonra faillerini bulmak için soruşturmaya başladım. Gece yaşanan bu vakanın faillerinin yerli aşiretlerden, yani köylülerden olmadığına kanaat getirdim. Şehit eden Arapların geldikleri istikameti öğrendim; ancak hangi aşiret olduğunu belirleyemedim. Yanımda kırk kadar süvariyle beraber çöl halklarının yoğun olarak yaşadığı bölgeye gittim. Bütün aşiretlere, ya reislerinin veya salahiyetli birer mutemetlerinin derhal yanıma gönderilmelerini istedim. Beni seven aşiret reisleri bizzat geldi, diğerleri birer mutemet gönderdiler. İstisnasız hepsine usulleri vechile yemin ettirdim. Suçluları sordum. Kendilerinde olmadığını anladım. Birer yazılı taahhüdname aldım.

Gelmeyen bir aşiret vardı. O da Hüveytat idi. Tekrar haber gönderdim. İki gün bekledim. Ne gelen vardı ve ne de bir haber gönderen. Sevdiğim aşiret reisleri beni terk etmemişlerdi ve nihayet dediler ki, "Bu askeri şehit edenler Hüveytat aşiretindendir. Sizin kuvvetiniz azdır. Sizi fena duruma düşürebilirler. Aman böyle gitmeyiniz, biraz bekleyiniz, kuvvet toplayıp öyle gidiniz."

Yine bir aşiret reisi, "Ben kuvvetimi yakına getireyim, sizi takip ederim. Lüzum görürsem aşiretimle yardıma koşarım, sizi feda edemem" diyerek, düşman aşiretinin bulunduğu yerler hakkında bilgi verdi. Ben aşiretlerden istifadeyi başlangıçta hiç de uygun bulmadım. Önce Allah'a sonra askerime güveniyordum. Bir avuç asker olmakla beraber yeter miktarda cephanemiz mevcut, askerin hareket kabiliyeti fevkaladeydi. Her erimizde 450'şer cephane, kâfi yiyecek ve suyumuz vardı. Aşiret reislerini kırmamakla beraber kendilerinden kuvvet istemedim. "Arzu ederseniz beni uzaktan takip edin, kendilerine fazla vakit vermeyelim" dedim. "Onlar çoktan hazırlanmıştır" dediler. Ben vedalaşarak askerimle ayrıldım. Niyetim yalnız katilleri istemekti.

Allah'a sığınarak kızgın bir öğle güneşi altında Hüveytat aşiretinin konak yerlerine doğru ilerliyordum. Solumuzdaki bir kayalık dibinde kaynaşma oldu. Kayalıkla aramızda geniş bir vadi vardı. Ani bir baskına uğramamız çok muhtemeldi. On süvariyi yanımda alıkoydum. Geride kalan kuvvetleri bir çavuş emrinde derhal ileri sevk ettim. Göndermesem olmazdı, bir boğazdan da geçmek zorundaydık. Giden askerimiz şiddetli bir ateşle karşılandı. Dürbünle etrafı gözden geçirdim. Güney tarafımızdan çok kalabalık bir hecinsüvar kitlesiyle, batı tarafımızdan yine tepeleri kaplamış süvari kitlesinin bize doğru ilerlemekte olduklarını gördüm. Öyle anlaşılıyordu ki, biz haber gönderdiğimizden itibaren hazırlıklarını yapmışlar, sahaları tutmuşlardı.

Artık bir avuç askerle ölüm bize çok yakındı. Fakat hikmeti hüda, kalbimde en ufak bir korku bile sezmiyordum. Askerimiz şiddetli çatışmaya tutuşmuş, vadi inliyordu. Askerin arkasını boş bırakmak da olmazdı. Bu esnada sağımda şiddetli nal sesleri ve at kişnemeleri işittim. Doğuya baktığımda hiç ümit etmediğim bu taraftan, iki yüz metre ilerimizden bir aşiretin bize hücum ettiğini gördüm. Vaziyetin hiç de şakaya tahammülü yoktu. Yanıma yalnız borazanı aldım. Diğer dokuz süvariyi orada ihtiyatta bırakıp, aşiret usulü at oynatarak bu aşiret önüne süratle ilerledim. İçlerinden iki süvari dört nala, üzerimize doğru ilerledi.

Buluştuğumuzda süvarilerden biri, "Çabuk söyle Ya Salah, dost musun düşman mısın?" dedi. "Ne münasebet, dostum" dedim. Önümüzden ok gibi fırladı. İlerleyen aşiretin önüne doğru gelince abasının eteğiyle işaret verdi. Süvari olarak gelen bu aşiret tertiplerini bozmadan olduğu yerde kaldı. Sonra reisleri geldi. "Duyulan ateşler üzerine Selahattin bizi vurmaya geliyor, çok canı sıkılmış, dediler. Ben de ne yapayım can bu, aşiretimi aldım sizinle harbe geliyordum" dedi.

Bu gelen Serhan aşiretiydi. Esas reisleri hasta olduğu için vekâletle idare ediliyordu. "Sizin adamınız geldi, konuştuk, alakası olmadığına da yemin etmişti ya. Benden bunca senedir kahpece bir hareket gördün, işittin mi?" deyince, "Haşâ senin her işin erkeğe yakışır şekilde yiğitçedir. Buna herkes inanır. Bizi yanlış yola sevk ettiler. Cubur aşireti de arkadan geliyor. Ona da haber göndereyim" dedi. "Gönder, fakat sakın geri gitmesinler, benim emrimde kalsın, reisleri yanıma gelsin" dedim. Şeyhin yüzü güldü. "Hiç olmazsa sana hizmetle bu kusurumuzu kaparız" dedi. Haber gönderdi. Bir tepe üzerine çıktığımızda üzerime gelmekte olan Hüveytat aşiretini gördü. "Aman Ya Salah, iş fena, geliyorlar" dedi. "Gelsinler, siz korkmayınız" dedim. "Aşiretinizi gösterdiğim yerlere çekiniz ve attan inmesinler" dedim. Çekti. Arkadan gelen Cubur aşiretine de yer gösterdim. Çöl adeta ayaklanmıştı. Biz de büyük bir kitle teşkil etmiştik. Diğer bazı aşiret reisleri de yanıma geldiler. Hüveytat aşiretinin kuvvetleri de karşılarında kesif (yoğun) kuvveti görünce durakladılar.

Ateş devam ediyordu. İki süvari göndererek vaziyeti sordum. "Pek az kuvvetleri kaldı. Onlar da çekiliyor" dediler. "Ele geçen insan ve hayvanları getirsinler" dedim. Yanıma gelen dört aşiret reisi çok heyecanlıydı. Ben hem konuşuyor hem de sürekli etrafı gözetliyordum. Harekâtı idare eden aşiret reisleri hiç unutmam; "Sübhanallah! Sendeki bu soğukkanlılık... Bütün çöl ayakta, bir taraftan müsademe olur, dünya birbirine girer, sen hiçbir şey olmuyor gibi hareket edersin. Bu gelenler de müsademeye girerse kimbilir ne kadar kan dökülecek?" diyorlardı. Ben, "Allah'ın hikmet ve takdiridir. Korkmayın bu iş ilerlemez" dedim. Doğru hepsi de can sahibiydi. Bunlar sıkıyı görürlerse kaçarlardı.

### *Cemal Paşa'nın Yakın İlgisi*

Bin beş yüz kadar deve, bir miktar at ve on beş kadar da Arap tutulmuş, gönderdiğim kuvvet de gelmişti. Fazla kalmakta sebep de kalmamış, ateş kesilmişti. Tertibatla Dera istikametinde dönüşe geçtim. Dera'ya girdiğimde beni heyecanla karşıladılar. Jandarma dairesinin camları kırılırcasına vuruluyor, hükümet konağının bazı pencerelerinden 'yaşa' diye bağrılıyor. Hükümet konağının karşısındaki meydanda bir tabur piyade, ayrıca bir makineli tüfek bölüğü (o zaman ayrı teşekkül halindeydi), iki kudretli Cebel Bataryası içtima etmiş bulunuyordu. Jandarma tabur komutanı ve beni tanıyan memur arkadaşlar, bana sarıldılar, "Geçmiş olsun" dediler. Ben yine bunları hayretle seyrediyordum. "Ne oluyorsunuz yahu?" dedim. "Senin şehit ve bütün askerinin mahvolduğunu söylediler, ağlaştık" dediler.

Biraz heyecandan sonra tabur komutanı koluma girdi ve olanları şöyle anlattı: "Siz gittikten iki gün sonra Cemal Paşa, Selahattin'den haber var mı, diye sordu. 'Yok' dedik. 'Çabuk teması temin edin, her gün sabah ve akşam bana haber verin' dedi. Seni bulmaya imkân yoktu. Bir şey yazamadık. Bizzat telgraf başında beni buldu. 'Selahattin Bey nerede, sizden kuvvet istedi mi, ihtiyat kuvvet hazırladınız mı? dedi. 'Paşam haber alamadık' der demez bize çok fena sövdü saydı. Tekrar şiddetli emirler verdi. 'İrtibatı siz temin edeceksiniz' dedi."

"İhtiyat kuvvetleri hakkında da yeni emirler verdi. Beş gündür aynı derdi çekiyoruz. Hele bu öğlen yine sıkıştırdı. 'Haberimiz yok' deyince çok fena halde haşladı: 'Şimdi İttihat Terakki'nin bir üyesinden makine başında bir tel aldım. Bütün aşiretler kendisini çevirmişler, çatışma saatlerce sürmüş. Bir zat dörtnala Aclun'a gelerek makine başında bana haber verdi, dedi. Askeri mevki komutanına emir vererek bu kuvveti hazırlattı. Bana da, 'Bizzat gidecek, Selahattin'in intikamını alacaksın. İcap ederse ayrıca kuvvet göndereceğim' dedi. İşte ben de hazırlandım gidiyordum."

Ben, "Buna lüzum kalmadı. Muvaffakiyetle geldim" dedim ve izahat verdim. Fakat gerek mevkii komutanı ve gerekse jandarma tabur komutanı o kadar heyecanlıydı ki, "Aman Cemal Paşa'ya ne yazabiliriz, ne de makine başında söyleyebiliriz? Paşa çok heyecanlı ve çok asabi halde bulunuyor. Senin istirahatini temin ederiz. Bu askerle beraber siz de gidiniz. Bizi sıkıntıdan kurtarınız" dediler. Getirdiklerimi orada bıraktım. Çabuk kısa rapor da yazdım. "Bunu yazsınlar" diyerek Jandarma Tabur Komutanı ve tertip edilen müfrezeyle beraber Aclun ilçesine doğru hareket ettik.

### *Şeyhin Kurduğu Tuzak*

Geceyi Aclun'da müfrezeyle geçirdik. Ertesi gün beni, kendi askerimle, (35 er kalmıştı) Dokare köyü istikametinde keşfe çıkardı. Bu taraftaki aşiretlerin de halini anlamak istiyordu. Aclun Boğazı'nı geçtik. Dokare köyüne akşama doğru geldik. Bu taraf biraz dağlık olduğu için bize serin geliyordu. Şeyhin evine indim. Akşama doğru şeyh kahve pişirmek bahanesiyle fazlaca çalı çırpı yaktı. Ben darıldım, "Ne münasebet bir fincan kahve için bu kadar ateş yakılır mı? Halil Çavuş bu ateşi söndürün, bu adamın niyetini ben beğenmiyorum" dedim. Ateşi söndürdüler fakat kalbimize doğduğu gibi olduğumuz yere yağmur gibi kurşun yağmaya başladı. Yorgun olduğumuzdan gerek asker gerekse ben teçhizatımızı çıkarmıştık. Bunları takmak için yatmak mecburiyetinde kaldık. Taş binanın duvarının taşları parçalanıp bize dökülüyordu. Hemen askeri toplattım. Şeyhi bağlattım. Köy içinde bulunan diğer bir Arap şeyhini de yakalatıp askerin muhafazasına verdim ve sıkı tembih ettim.

Bereket ki, köye girerken araziyi tetkik etmiştim. Yorgun olmasaydım bu köyde yatmazdım. Çünkü, çukurlukta kalan köyün etrafındaki tepelerin hepsi köye hâkim vaziyetteydi. Köy binalarını bizzat gözden geçirmiştim. Bilhassa girişteki iki binanın müdaafaya elverişli olduğunu belirlemiştim. Az sonra köyün dört tarafına ateş gelmeye başlamıştı. Köylüler evlerine çekilmişlerdi.

Az olan askerimizi, dağıtmak uygun olmadığından, girişteki bu iki binanın gerisine çektirdim. Damına çıkmak için iki merdiven de buldurdum. Köyün güney kısmından fazla ateş geliyordu. Arazisi de nispeten harekâta müsaitti. Korku fikrini verdirmemek için teşkil ettiğim on beş erlik bir piyade müfrezesini, tepelere kadar ilerlemek ve oradan geri dönmek üzere gönderdim. Çatışmada bizden yaralanan olmadı. Arapların vaziyetini anlayamadık, yalnız kaçtılar. Uyumadan sabahı ettik.

### *Diri Diri Yakacağım Tehdidi*

Ertesi günü etrafı yoklattım. Aclun Boğazı tutulmuş. Bizi çevirenler ve bize ateş edenler Hıdırî aşireti namında büyük bir aşiretmiş. Devriyelerimizin yakaladığı dört ihtiyar Arap'ın, geceki müsademede benim yaralı veya ölü olup olmadığımı anlamak için gönderildiği anlaşıldı. Fazlaca vakit geçirmeye gelmeyeceği esas müfrezeyle irtibatımızın kesilmesinden anlaşılıyordu. Askerin içinden bu araziyi iyi bilen bir erin kılavuzluğunda, aşiretin büyük kısmına hiç görünmeden yürüyüşe geçtik. En önde kılavuz askerle ben gidiyorduk. Giderken dürbünle yaptığım gözetlemede Arapların telaşla çadırlarını tahliye ettiklerini ve zeytinliğe çekilmekte olduklarını gördüm.

Biraz evvel benim durumumu anlamak için gönderilmiş olan Araplara, "Selahattin benim. İsterseniz Arapoğlu askerler de yemin etsin. İnanın sizi ben salıvereceğim. Doğru aşirete gidersiniz. Beni gördüğünüzü ve şimdi köyden çıkaracağımı söylersiniz. Ben ateş etmeyeceğim. Şayet Araplar geceki gibi kahpelik eder de bize ateş ederlerse ahdım olsun ilk ele geçireceğim Arap'ı dişi olsun erkek olsun zeytin ağacına bağlayıp ağaçla beraber diri diri yakacağım. Çöle örnek olsun" dedim. Tutulan dört Arap'ı da bıraktım. "Dört tarafa haber verilsin" dedim. Tehlikeli bir mıntıkadan kurtulmak için böyle bir tehdidin savrulması zaruriydi. Çünkü Aclun Boğazı'ndan sivilleri bile geçirmiyorlardı. Bir köylüyle güvenli başka bir yoldan müfrezeye de bir rapor yazdım. Sırf kendi gücümüzle ancak muvaffak olup kurtulacaktık.

İşte Arapların telaşla zeytinliğe çekildiklerini görmek benim için bir zevk teşkil etti. Esasen hepsi de bilirdi ki, Selahattin tehdidini yerine getirmeye kadirdir. Ölmediğine göre, ölüm kendilerine mukadderdi. Ben bu zeytinliğin bulunduğu büyük tepeyi arkadan dolaşarak çıktım. Hemen bir kısım askeri bu tepede mevzilere soktum. Cephaneleri hazırlattım. Yalnız ben borazan erini yanıma alarak güya teftiş ediyormuş gibi tepede atla gezmeye başladım. Sığındıkları zeytinliğe hâkim bir yerde benim dolaştığımı görünce kadınlar ve çocuklar acı acı feryada başladılar. Kabile içeriden fethedilmişti. Erkekler de kadınlara çıkışıyorlardı. Nereye kaçabileceklerdi? Herhalde fazla telefat vereceklerdi. Üstelik yanmak da vardı. Biri kır, ikisi doru atlı üç kişilik elçi kafilesi, at oynatarak tepeye doğru gelmeye başladılar. Ateş ettirmedim. Arap usulüyle dizlerimi öpüp dahalet ettiler (merhametime sığındılar). Ben de, "Dahaletinizi şu şartlarla kabul edeceğim, aksi takdirde harekete geçeceğim ve diğer kuvvetlerimizle de sonuna kadar cezalandırma yoluna gideceğim" dedim. "Söyle şartlarınızı" dediler.

"1- Niçin ortada hiçbir sebep yokken aşiretiniz, bulunduğum yeri muhasara edip, sabaha kadar ateş etmiştir? Doğru olarak söylenecek.

2- Bu aşiretin kayıtsız şartsız bütün şeyhleri teslim olacak. Hükümetle olan alakaları varsa, bunları hükümet görecektir. Bana karşı yapılan bu caniyane hareketten dolayı sizi affediyorum.

3- Aşiretinizin hükümete olan bütün borçları, derhal hükümete teslim edilecek."

Derhal kabul ettiler. Tekrar dizlerimden öptüler. "Öyleyse içinizden biri derhal gitsin, aşirete haber versin. Biz de beraber aşirete geliyoruz" dedim, öyle yapıldı. Aşiret içine girdiğinizde üç adet koyun getirip kesmek istediler. Bırakmadım. Vakit epey geçmiş, İrbit'teki (Aclun kazasının merkezi) müfreze de aradan beş saat geçtiği halde gelmemişti. Hıdırî aşiretinin bir şeyhi de geldi, teslim oldu. Şartın birinci maddesini, "Hayatel ud ve rebbel mabut" diye uzunca bedevi yeminini de ettikten sonra anlattılar. "Çöl Göçerleri birleşmiş. "Bu adam ölmeyince bize rahat yok. Nerede görürsek bunu öldürelim. Muvaffak olan aşirete yardım yaparız" demişler. Onlar da bu anlaşma üzerine ve beni öldürmek kastiyle bu işi yapmışlar. Fakat gösterdiğim alicenaplıktan tekmil aşiretin bana karşı beş kan borçlandığını yine Allah'a kasem ederek bildirdiler.

Kısa bir istirahattan sonra müfrezeye iltihak etmek üzere Hıdırî aşiretinin beş şeyhiyle beraber Aclun Boğazı'na doğru hareket ettik. Boğaz'a yaklaştığımız sırada başta Havran Jandarma Tabur Komutanı (K...) bulunmak üzere mürettep müfreze göründü. Jandarma komutanı bana doğru atını süratle sürerek geldi. "Geçmiş olsun. Bu aşiret nerede, gidelim tepeliyelim" dedi. Ben de, "Azizim tam beş saat gecikmeyle gelmiş bulunuyorsunuz. Bu müddet içinde bir avuç asker ya erir ya da muvaffak olarak çekilir. Siz galiba benim cenazemi kaldırmaya geliyorsunuz" diye yarı latife söylendim. "Ben vaktinde tedbirli davranmasaydım, elinizi kolunuzu sallaya sallaya buradan geçemezdiniz" diye ilave ettim. "Nasıl oldu? Biraz tafsilat verseniz" dedi. "Asker rahat etsin, zaten dönülecek. Biz de şu tepede oturur, size anlatırım" dedim.

Piyade tabur komutanı da geldi. Küçük bir tepeye çıktık. Geçen vakayı ben değil Hıdırî aşireti sizlere anlatırsa daha tatlı ve müessir olur dedim. Bana sığınan şeyhleri çağırttım. Birer sigara ikramından sonra, yanımdakileri göstererek, "Bunlar benim arkadaşlarımdır, bana yardıma geldiler. Dahalet şartlarını ve benim izahatımı anlatın da hep beraber yola çıkalım" dedim. İçlerinden en büyük şeyh, şartları ve geceki müsademe sebebiyle, müsademe şeklini hiç çekinmeden olduğu gibi anlattı. Jandarma Tabur Komutanı da, "Büyük geçmiş olsun kardeşim. Bu son icraatınla yine harikalar yarattın. Şimdi ne yapalım?" dedi. "Yapılacak iş kalmadı. İrbit'e dönelim. Çöl Göçerlerinin içinde dolaşmaya mana yok. Nefis öldürmekten ne çıkar? Bu sırada devletin başına da niye gaile açalım?" dedim. Hepimiz İrbit'e döndük. Bu geçen vakaya ait yazılı bir rapor hazırladım verdim.

## *Şeyhlerin İdamını Son Anda Önlemem*

Havran Jandarma Tabur Komutanı ne yazdı görmedim. Yalnız Hıdırî şeyhlerini sıkı muhafaza altına aldırıp birbirleriyle görüşmekten men ettirdi. Ben, "Bu kadar sıkı muhafazaya lüzum yok, çünkü kaçmak ihtimalleri kalmamıştır" dedim. "Aman ne olur ne olmaz Cemal Paşa isterse ve bunlar da elde olmazsa bizim için felaket olur" dedi. Ben gördüğü tekdirlerden korktuğuna hükmettim. Sonra başkaca icraata lüzum görülmeyerek hepimiz liva merkezine döndük. Hıdırî Şeyhlerini umumi hapishaneye koydular. Ayrıca hükümetle ilişkileri varmış. Benim işim artık bunlarla kalmadığından dağdağalı olan bu muhitin başka işleriyle meşgul oldum. Adeta bunları unuttum.

Aradan tahminen bir ay geçtikten sonra bir gün, on üç idam sehpasının hazırlandığını işittim. "Divan-ı Harbi Örfi'nin icraatı olacak" dedim. Kimseye başkaca bir şey sormadım. Bir gün bir yere gitmiştim. Geç vakit merkeze geldim. Bana suikastte bulunan beş şeyhle yine daha evvel yakalanmış olan sekiz şahsın idamlarına dair emir geldi. "Bu sabah hepsini asacaklar. Kendileri zincire vurulduğu halde hapishane-i umumiden merkez jandarma bölüğüne getirilmiş" dediler. Bölüğe gittim. Hakikaten getirilmişler. Sordum işittiklerim doğruymuş. Hemen ufak birer kâğıtla mahalli jandarma komutanına ve mutasarrıfa birer tezkere yazdım. Emrin icrasının kesinkes geciktirilmesini belirttim. Cemal Paşa Hazretleri'nin hükümet namına bunlara vermiş olduğum sözden haberleri olmadığı anlaşılıyordu. Makine başında kendilerine arzını ve dileğimin katiyen ertelenmemesini, şayet yazmaktan çekinirlerse tarafımdan yazılacağını" bildirdim.

Jandarma Tabur Komutanı yanıma geldi. "Aman birader, Mutasarrıf Bey'in de selamı var. 'Böyle bir şeye teşebbüs etmesin. Sonra Cemal Paşa onu asar. Biz de yazamayız, korkarız' diyor" dedi. "Bunlar hakkında yapılan işten haberim yok. Beni sözümden ancak ölüm döndürür. Hak sahibi benim. Şayet yazılmayacaksa ben telgrafhaneye gidiyorum. Cemal Paşa'yı mutlaka uyandıracak, kendisine idamdan vazgeçmesini söyleyeceğim" dedim. "Aman dur, ben Mutasarrıf'la görüşüp size neticeyi söylerim" dedi. Gece mutasarrıflık dairesinin ışıkları yanıyor, heyetin orada toplandığı anlaşılıyordu. Yarım saat sonra Jandarma Tabur Komutanı (K...) Bey yanıma geldi. "Mesuliyet sizde olmak üzere bu sabah idam işi durduruldu. Keyfiyet şifreyle olduğu gibi Cemal Paşa Hazretleri'ne arz edildi" dedi.

Yine şafaktan evvel beni buldular. Cemal Paşa'dan emir geldi. İdam emrinin tehirinde, Paşa'nın da oraya, günü ayrıca bildirilmek üzere geleceği de belirtiliyordu. Hemen bunların zincirlerini söktürdüm. Sevinç gözyaşları döktüler. Yine hepsini umumi hapishaneye gönderttim. "Korkmayın yakında bütün bütün kurtulursunuz" dedim. Mutasarrıf Hacim Muhittin Bey, "Cemal Paşa gelirse cevabı siz verirsiniz" dedi. Cemal Paşa'nın bana olan yüksek teveccühünü yakinen bilmediği için sonunu iyice kestiremiyordu. Ben de, "Sadece benim dileğimi aynen kabul edecektir. Onun geleceği gün bir resmi kabul tertip edeceğim. Zatıaliniz sadece üç yüz kişilik buzlu şerbet temin ettiriniz. Ben üst tarafını temin ederim" dedim. Başkaca düşüncemi açıklamadım. Bir hafta sonra Paşa'nın bir telgrafı alındı. Üç gün sonra geleceği bildiriliyordu.

### *Aşiretlerin Cemal Paşa'ya İlgisi*

Ben bilhassa Urban-ı Badiye'ye ve Havran Şeyhülmeşayihi'ne haber gönderdim. Yanlarına yirmi süvariden başka kuvvet almamalarını rica ettim. Başta Nuri Şalan olmak üzere bütün Urban-ı Badiye şeyhleri ile Havran'ın ileri gelen yerli şeyhleri istenilen günde hazır bulundular. Dera o gün büyük bir gün yaşıyordu. Çok kalabalıktı, kuzular kesilmiş, tedarik edilen kazanlarda da bulgur pilavı hazırlanmıştı. Öğleye doğru Garbi Arabistan Komutanı Cemal Paşa Hazretleri'nin hususi trenleri aheste aheste istasyona girmeye başladı. Nuri Şalan ricamı kabul etmiş, bütün şeyhlerin başında olmak üzere Paşa Hazretleri'ni selamlamış ve hoş bir karşılama konuşması yapmıştı. Baştan aşağı bayraklarla süslenmiş Dera'nın çok kalabalık olan yerli ve bilhassa Çöl Göçerleri tarafından pek şanlı ve çoşkun bir şekilde karşılaması Cemal Paşa Hazretleri'nin cidden hoşuna gitmişti. Bu büyük ve muhteşem bağlılığın varlığını haklı bir gururla karşıladı.

Ahenkli bir yürüyüşle kendi için hazırlanmış ve pek muhteşem surette tezyin edilmiş olan hükümet salonuna teşrif buyurmuşlardı. Cemal Paşa, hükümet konağının kapısından girdikten sonra, ben, leyh ve aleyhimde konuşma olacağını bildiğim için halkı serbest bırakmayı uygun görerek, daireme çekilmiştim. Gerek hükümet ve gerekse halka karşı esasen vicdani vazifemi tamamen yaptığıma kâni olarak, müsterih bulunuyordum. Diğer büyük memurlar ise benim gibi düşünmüyorlar, bilakis şahsım için endişeli bulunuyorlardı. Cemal Paşa gibi sert ve seri icraatlı bir şahsiyetin emirlerine karşı muhalif harekette bulunmayı pek ağır cezayı gerektirdiğine inanıyorlar, benim sınırları zorlayan hareketimi hatalı görüyorlardı. Cemal Paşa'nın son emri gelinceye kadar arkadaşlarımdan kimse yanıma sokulmadı.

Bir aralık eski arkadaşlarımdan, Cemal Paşa'nın karargâh subaylarından Çobanoğlu Zeki Bey yanıma geldi: "Cemal Paşa tertibatınızdan çok memnun kaldı. Nuri Şalan şimdiye kadar olan işleri açıkça anlattı. Size suikast hadisesini ve sizin icraatınızı da olduğu gibi söyledi. Hıdırî aşiretinden beş şeyhle, diğer suikastlardan suçlu sekiz Arap'ın hükümetle alakalı başka suçlar hariç kendi aleyhinize işlenen suçlardan merhametinize sığınmaları üzerine Cemal Paşa Hazretleri, 'Madem ki Selahattin Bey bu suçları affetmiştir, onun sözü hükümetin sözüdür. Bundan haberim yoktu. Sonradan anlayıp idamı durdurdum. Ben de affediyorum' dedi. Hapishane-i umumiyeden getirilmiş olan bu suçluları serbest bıraktırdı. Hepsi Paşa'nın ayağını öptüler. Bundan cesaret alan Ruvale Şeyhülmeşayihi Nuri Şalan, Havran Estersüvar Bölüğü'ne mensup bir erden, Hüveytat aşireti tarafından alınmış olan bir silah ve cephanenin yerine verilen iki yüz mavzer tüfeğinin tarafınızdan iade edilmemesi ve satılmış olması; Dürziler tarafından bunca verilen ağır bir paraya rağmen yine tarafınızdan şiddetle takip edilmesinden dolayı, askerin silahını alan üç şahsın bütün ailesiyle birlikte tarafınıza şahsi esir olarak gönderildiğini ve hepsinin hapishaneye teslim edilmelerinden beri üç aydır tutuklu olduklarını da arz ettiler."

"Paşa da, 'Selahattin Bey'in şahsi esirlerini getiriniz' diye emir verdiğinden, getirdiler. Paşa, 'Bir daha tekerrür etmemeli. Ben de Selahattin Bey namına bu esirleri affediyorum, serbest bırakın' diye emir buyurdular. Bıraktılar. Yalnız, 'Aman Paşam bu tüfeğin kaydı silinmezse Selahattin Bey başka şekilde takip eder. Lütfedip kaydının silinmesi emrini de verseniz' diye ricada bulundular. Bunun üzerine Erkânı Harp Reisi Fuat Bey'e, 'Tüfeğin cinsi ve numarasını öğrenin de hemen kaydının silinmesi emrini verelim' dedi. Bunun üzerine beni gönderdiler ve olan işleri de anlatmamı emir buyurdular" dedi.

Bittabi, Paşa'nın yüksek teveccühünden çok memnun kaldım. Tüfeğin cinsini ve numarasını bildirdim. Yarım saat sonra, tüfeğin kaydının ordu kayıtlarından düştüğü emri geldi. Paşa'nın buradaki emirleri genel bir af şeklini aldı. Beyrut vilayetindeki bazı Araplar da orada kendisinden af istirhamında bulunmuşlar, bu vesileyle pek düzgün gitmeyen Arap siyaseti düzelmiş, bu işleri yoluna sokmak için tarafımdan alınan önlemler ve yapılan işlerden dolayı Cemal Paşa çok memnun kalmıştı.

### *Şeyhlerin Yolladığı Kan Bedeli*

Arabistan'da bulunduğum sıralarda bir insanın kanı bedeli 333 lira, 33 kuruş, 33 para olarak kabul edilmiş ve aradaki Arap tazmine mahkum edildiği ve ya sulha karar verildiği vakit, bu paranın da mirasçısına verilmesine birlikte karar verilirdi. Cemal Paşa'nın af kararı ve icraatını müteakip orada bulunan Urban ve Aşair (Çöl Göçerleri ve Aşiretlerin) Şeyhleri aralarında tedarik etmiş oldukları bin üç yüz altını benim pek sevmediğim Hıreyşe aşireti reisi Hadise Hıreyşe ile bana göndermişler. Hadise de, "Selahattin Bey, şeyhlerin size bir ricaları var. Sizin bizzat çok büyük kalbinizin canlı misalini istisnasız bütün çöl halkı ve şeyhler sevinç gözyaşlarıyla karşılamışlar. Size karşı şükran borçlarını nasıl ödeyeceklerini bilemiyorlar. Buraya yani Dera'ya ani olarak tedariksiz gelindiği için kurtarılan on üç şahsın diyeti olan dört bin üç yüz yirmi dokuz lira küsur kuruşun hemen tedariki mümkün olmamış, üzerlerinde bulunan bin üçyüz altın benimle gönderilmiştir.

Lütfen bunu kabul buyurun, şeyhler yerlerine döner dönmez geriye kalan borçları da tedarik edip yine benimle gönderecеklerdir" dedi.

Hadise Hıreyşe'ye teşekkür ettikten sonra, "Hepsine benden selamlar. Ben kurtardığım beş şeyh ve sekiz Arap'ın hayatlarını parayla satmadım. Hiç kimsenin bana beş para borcu yoktur. Çok rica ederim. Bu parayı verilen yerlere aynen iade edersiniz ve benim söylediklerimi de söylersiniz. Ben para aşığı değilim, Bana ancak insan lazım, dost lazım" dedim. Israrlarına rağmen geri çevirdim. Bilahare Ruvale Aşireti reisi ve yine çok sevdiğim ve hürmet ettiğim Nuri Şalan nezdime gelerek yapılan işlerden ve son hareketlerden teşekkürlerini bildirdi. "Ben şeyhlere bu neticeyi söylemiştim. Fakat sevinçle ısrar etmelerinden, fazla bir şey diyememiştim" dedi. Sırtımı okşayarak ayrıldı.

## *Hicaz Demiryolu'na Yakıt Temini*

Birinci Harbi Umumi sırasında maden kömürü tedarikindeki müşkülattan dolayı, artık trenler muntazam seferler yapmamaya başlamışlardı. Hemen her istasyonda, lokomotifler islim alıncaya kadar beklemekte ve bunun için de külliyetli odun yakmaktaydı. Artık trenlerde, hareket saati makinistlerle istasyon memurlarının elindeydi. Trenlerin hareketi oduna bağlı olunca, odunun da temini mühim bir mesele olmuştu. Ormanlar istasyonlardan çok uzak mesafelerde bulunuyor, bir çok istasyona bunların gönderilmesine imkân olmuyordu.

Bir gün Aclun ormanlığından odun getirilmesi için münasip şekilde deve sevki emir alınmıştı. Güya bu işin kontrolü ve yakıtın temini için Kerek Mutasarrıfı Fehmi Bey tayin edilmiş ve emrine iki vagon tahsis edilmişti. Biri adı geçenin mutfağı vazifesini görür, diğeri de yatak ve istirahat salonu vazifesi görürdü. Aldığım emirde bu zatın memuriyetine ait bir izahat yoktu. Ben bu sırada Ezra Jandarma Bölük Komutanlığı'nda bulunuyordum.

Dürzi isyanında ve Sami Paşa harekâtı sırasında Havran Mutasarrıfı bulunduğu anlaşılan bu zat, bir gün iki vagonuyla geldi. Kaymakamlığı ziyaretten sonra bana da geldi. "Ezra şeyhi Şeyh Mezzal'i görmeye gideceğim, bana bir ester buldurunuz" dedi. Kendisi şişmanca bir zattı. "Ester bulunmaz, uslu bir kısrak bulundurayım" dedim. "Kısrağa binemem. Ester yoksa kuvvetli bir merkep bulunsa olur" dedi. Arzusu yerine getirildi. Köye gitti, geldi. Ne yaptığını bilmem, işi hakkında da bana bir kelime söylemedi. Günlerce istasyonda vagonunda kaldı. Ben emir aldıktan sonra, demiryolunun harpteki kıymetini takdir ettiğimden bu işi düzenlemek için bir liste yaptım. Şeyhlere haber gönderip hemen faaliyete geçmelerini emrederek, ciddiyetle işe giriştim. İcraatımı yakınen takdir eden şeyhler ve halk kurulmuş bir makine düzeninde çalışmaya ve odunları Dera İstasyonu'na yığmaya başladı.

### *Belediye Reisi'nin Ahlaksız Teklifi*

Filhakika ağır yüklere dayanamayan bazı hayvanatın telef olduğunu haber almaktaydım. Fakat ne çare ki üç mühim ordunun yegâne ordu gerisi hizmetini bu biricik hat temin edecekti. Sızlanmalar ve şikâyetleri reddediyor, sıranın bozulmasına asla razı olmuyordum. Bir gün Ezra Kasabası Belediye Reisi Cibran, abası altında tuttuğu bir şeyle daireme geldi. Kapıyı kapatıp, "Aman Bey, şunu lütfen kabul ediniz" diye, büyükçe bir kefiye içerisinde miktarını bilmediğim altın ve beyaz mecidilerden ibaret külliyetli bir parayı masanın üzerine koydu. Kasabanın develerinin Aclun'a gönderilmemesini veya hiç olmazsa pek seyrek gönderilmesini rica etti. Kasabanın şeyhi bana bu teklifi yapamadığı ve yalnız bu soysuz Cibran'ın buna cesaret ettiği aşikardı. Şiddetle reddettim. O bana, "Siz almazsanız bu parayı Fehmi Bey'e verir, yine kasabanın develerini geri bıraktırırım" diye tehdit savurdu. "Ben kimsenin emrinde değilim ve hiçbir kimse benim emir ve tertibatımı bozamaz. Sen ne cesaretle devletin en mühim işlerini geri bıraktırmaya uğraşırsın?" dedim. Parayı da, müsadere etmeyerek adamı yanımdan uzaklaştırdım.

Zaten bu ve diğer bazı şahsiyetlerden şüphe ediyor, bozgunculuklarına set çekmek için bahane arıyordum. Ertesi günü dört merkep tedarik ettirerek Cibran ve diğer üç arkadaşını daireye getirtip, aynı eşeklerle vilayet merkezine sevk ettirdim. Odun işi gayet iyi bir şekilde devam etti. İşin ciddiyetini takdir buyuran Cemal Paşa, Hicaz Demiryolu Ezra Kısım Fahri Müfettişliği unvanını verdirdi. Ve ayrıca (600) altı yüz kuruş madeni parayı her ay mükafatı nakdiye olarak göndertti. Ben Ezra'da bulunduğum müddetçe bu parayı muntazam aldım. Ben ayrıldıktan sonra yerime gelen Lazkiyeli Kıdemli Yüzbaşı Abdülkadir Bey de almak istemiş fakat verdikleri cevapta, "Jandarma komutanlarının Hat Müfettişliğiyle bir alakası yoktur. Selahattin Bey'den bahsetmek istiyorsanız onun şahsiyetine münhasırdı. Onun yerine kimseye bir şey verilmez" şeklinde karşılık gelmiş. Bir arkadaş da bana bir mektupla vaziyeti yana yakıla bildirdi.

### *Dürzilerin Komutanları Olmam İçin Başvurması*

Merkezi Are olan Cebel-i Duruz'un Beylerbeyi Selim Bey El Atraş'ın paşalık ünvanını almasından ve birinci dereceden Mecidi Nişanı'yla taltif edilmesinden sonra* hükümete bağlılığı artmış, diğer beyler de emrine imtisal ederek iyi geçinme sağlanmıştı. Dürzilerin sağa sola taşkınlıkları önlenmişti. Dürziler oldukça zeki insanlardı, meşveretle (danışma meclisleri toplayarak) idareyi severler, kendi gençlerini beylerin medafesinde (misafirhane) terbiye ve yine kendi usullerine göre tahsil ederlerdi. Hemen hemen hepsi, on beş-on altı yaşlarındaki çocuklar da dahil, silahlıydı. İstanbul hükümetinden ilk defa istiklal istedikleri zaman, beni ve ayrıca iki mutasarrıfı da yönetimlerinde yer vermek için istemişler. Tabii benim bunların ne istiklal istemesinden ne de beni istemelerinden haberim vardı. Yani bunların küstahça işlerinden haberim yoktu.

Bir gün bizde uzun müddet Nahiye Müdürlüğü yapmış bir Dürzi Beyi yanıma geldi. Dürzi Beylerinden Abdülgaffar Bey'in iki adamı da yanındaydı. "Size Abdülgaffar Bey selam ve hürmetlerini, bir şeyi rica etmeye bizi gönderdi" dedi.

* Selim Paşa bu sıfatlarını ve makamını, bölgenin Fransız idaresine geçmesinden sonra da korumuş ve Fransızların kurulmasını sağladığı özerk Dürzi emirliğinin başına geçmişti. 1923'teki ölümünden sonra başlayan iktidar kavgalarının sonucunda Fransızlar yönetime müdahale etti. 1925'te çıkan ve Atraşlardan Sultan Paşa'nın başını çektiği Dürzi isyanı kanlı biçimde bastırıldı ve 1930'da Emirlik resmen tarihe karıştı.

"Dürzilerin istiklal istediklerini ve bunun için Babıâli'ye bir dilekçe gönderdiklerini ve bu dilekçede hükümete yardım için bir kısım asker vermeyi taahhüt ettiklerini, yalnız hükümetin teşkili için üç şahsı istediklerini bunlardan ikisinin eski iki mutasarrıf olduğunu üçüncü şahsın da ben olduğumu" söyledi.

*Abdülgaffar Bey*

Hayretler içinde kaldım. "Benim haberim olmadan ne diye benim ismimi karıştırdınız? İstanbul hükümeti de zanneder ki, bu iş benim haberim ve muvafakatımla yapıldı. Halbuki vallahi şimdi sizden işitiyorum" dedim. "Evet onlar çok düşünmüşler, size haber verseler onaylamayacağınızı ve belki de mani olacağınızı tahmin ettikleri için haber vermemişler. Bu talep gideli bir aya yakın. Belki sizin muvaffakatınızı sorarlar. Bütün Cebel-i Duruz'un ricası şayet bir teklif vaki olursa reddetmemenizdir. Size karşı olan sempati umumidir. Beyler sizi Jandarma Genel Komutanı yapmak istiyorlar. Size ilk defa kırk altın maaş verecekler. Mali kısım düzeltilir düzeltilmez bu maaşınız elli altına çıkarılacak ve her türlü istırahatınız da temin edilecek" dedi ve ısrar etti.

Hayretle dinledim ve kendilerine şu suali sordum. "Bu kadar Arap subayı varken niçin beni tercih edip istediler? Acaba sebebi nedir?" dedim, güldü. "Selahattin Bey sizin Arap ve bilhassa Urban-ı Badiye üzerinde nüfuzunuz ziyadedir. Cebel'in taarruzdan masumiyeti temin edilir diyorlar. Ben de bu fikirdeyim" dedi. "Cebel'in şahsıma emniyet ve itimadına teşekkür ederim. Fakat böyle bir teklifi kabul etmezler ve benim de haberim olduğunu zannederek hoş görmezler. Bu istekte acele edilmiş, dedim. Hükümetin size yüksek emniyet ve itimadı vardır. Size hiçbir zarar gelmez" dediler. Ayrıldık, başkaca münakaşa yapmak da esasen faydasızdı. Zaten böyle bir işe girişilmesi söz konusu olamazdı. Yapılanları baştan beri takip eden hükümetçe meçhul bir nokta da yoktu.

*Dürzilerin İsyankâr Vaziyet Alması*

Lazkiyeli, Süveydiye Jandarma Bölük Komutanı Kıdemli Yüzbaşı Abdülkadir Bey, bir gün Duruz'a gelmiş ve benden yirmi beş kişilik bir süvari müfrezesinin kendisine verilmesini rica etmişti. Anlattığına göre, yüzden fazla silahlı Dürzi atlılarının himayesinde, külliyetli bir hububat kafilesi Cebel-i Duruz'dan Şam istikametine giderken hangi aşiretten oldukları anlaşılamayan çöl Araplarının taarruzuna maruz kalmış, Dürzi atlıları perişan edilerek bütün kafile ele geçmiş. Kaçabilenler ancak canlarını kurtarmış. Bunun üzerine Dürziler Süveydiye'de bir nümayiş yapmışlar. Hükümet konağındaki sancak direğini kurşunla indirmeye çalışmışlar.

Kaymakamdan, mallarının kurtarılmasını ve intikamlarının alınmasını, aksi takdirde Süveydiye'den hemen gitmelerini istemişler. Kurmay Yüzbaşı Abdülkadir'i de çarşıda yakalayıp, "Sen burada ne dolaşıyorsun, git bizim mallarımızı getir. Aksi takdirde buraya gelme, seni öldürürüz!" demişler. Kendi ifadesine göre de ayrıca çarşı içinde hakaretlerini sürdürmüşler. Vaziyetin ciddiyet ve vehametine binaen kaymakamla görüşüp hemen oradan ayrılmış. Kaymakam, keyfiyeti şifreyle arz etmiş, kendisi de Mutasarrıf Beyefendi'ye olduğu gibi anlatmış. Mutasarrıf Beyefendi de bir müfreze alması için kendisini benim yanıma göndermiş.

Yüzbaşı Abdülkadir çok telaşlı ve heyecanlı idi. Kendisine, "Urbanı tanırsınız, aksi takdirde alacağınız yirmi beş kişilik bir süvari müfrezesiyle bu işi yapamazsınız. Anlattığınız vaziyet ciddi ve vahimdir. Dürzilerden kaç kişi ve kimler ölmüştür, büyük kafile dediğiniz kaç deve ve hayvanlıdır? Hiçbir aşiret mesuliyeti üzerine almaz. Bu vaziyet karşısında ne yapacaksınız? Cezalandırmaya geçeceksiniz. Size yardım edebilecek aşiret reisleri var mıdır? Tasarladığınız icraatı olduğu gibi anlatın da, ona göre ihtiyatlı tedbir alalım. Aksi takdirde Dürzilerin peşinden Urban ve Aşair (Çöl Göçerleri ve Aşiretler) de isyan edecek olursa, ordu gerisi tamamıyle tehlikeye düşer. Bile bile de bu hale meydan verilmez. Lütfen söyleyiniz" dedim. "Hüsnü Paşa fevkalade havali kumandanı iken ben de yaveriydim. Bundan dolayı eski aşiret reisleri beni tanır, yardım edeceklerini ümit ederim" dedi. İsim vermedi. Nüfuzu cihetini izah edemedi. "Kaç sene evvelden tanıyorsunuz?" dedim. Yirmi seneden fazla bir rakam söyledi. "Eskiden şahsen bir icraatınız var mı?" dedim. "Hayır" dedi.

Arap'ın merhabayla boyun eğmeyeceği malum bir şeydi. Esasen kendisi, tanınmış maruf bir şahsiyet olsa, benim mutlaka bilmem lazım. Halbuki böyle bir şahsiyet tanınmamış ve Urban aleminde bir yer işgal etmemiştir. Durumun vahameti meydanda olduğuna göre bütün asayişi bozdurmamak ve orduyu müşkül durumda bırakmamak için kararı kendisine şöyle anlattım: "Abdülkadir Bey kardeşim, Hüsrev Paşa devri çoktan geçmiştir. Bugün şurasını iyi takdir etmeli ki, namlı paşalarımızı bile dinlememek niyetlerinde olduklarını belli etmeye yeltenmiş bulunuyorlar, fakat biz anlamazlığa gelerek hükümeti ve bunları hâkim kılmaya çalışıyoruz. Bunun için durumlarına yeterince vakıf olmadığınızdan, sizin bu iş için Urban içerisine girmenizi uygun görmüyorum. Bu iş için ben çıkacağım ve on-on beş süvari alacağım. Bu mesele, kuvvetten ziyade, nüfuzla halledilecek bir iştir. Sizden ricam Süveydiye'de olup bitenleri ben gelinceye kadar kimseye açmayınız ve izinli gibi bulununuz."

"Aman birader boş gelecek olursanız bu adamlar beni Süveydiye'ye koymazlar. Bir gayret gösteriniz" diye istirhama başladı. Onun bu yalvarması, devlet kapısında kendi çalışmalarının ne derece esassız olduğuna işaret ediyordu. Bizi de kendileri gibi sanıyordu. "Azizim siz merak etmeyiniz, biz eli boş dönen adamlardan değiliz. İmkânların azamisini inşallah temin ederiz" dedim. Hemen o gün yola çıktım. Mutasarrıf Beyefendi de Süveydiye kaymakamının şifresini söylemişti. Her şey meçhuldü. Bilinen bir şey varsa o da Dürzi kafilesinin perişan edilmiş olduğuydu.

### *Tüm Aşiretlerin Ortak Yağması*

Ben doğru Şeyh Hadise Hıreyşe'ye gittim. Bu muhterem zâta keyfiyeti açtım. "Birkaç aşiret birleşerek bu işi yapmışlar. Yağma edilen malların geri alınması için yardımlarınızı rica ederim. Bu işi üzerime aldım. Beni mahçup ettirmeyiniz" dedim. Biraz düşündükten sonra, "Merak etmeyiniz bir şey yaparız" dedi. "Bu vesileyle geldiniz ya, biraz arkadaşlık yaparız. İnşallah işler de yoluna girer. Hele bir istirahat ediniz" dedi. Yanımdaki muhafız eratın yanında başka bir şey söylemedi. Söylemek de istemedi. Ben de zorlamadım.

İki saat istirahattan sonra elime bir bambu kamışı verdi. "Siz gezmeyi seversiniz, biraz dolaşalım" dedi. O da eline bambu kamışı almıştı. Biraz açıldıktan sonra, bana şunları anlattı: "Selahattin Bey, bu işte ben de suçluyum ve ne kadar aşiret varsa hepsi suçlular. Aramızda konuştuk. Hemen hepimiz aynı miktarda genç Arap seçtik ve bu çocukları tecrübe için saldık, beklemediğimiz bir akınla bu işi yaptılar. Yalnız başlarındaki kumandanla birkaç maiyeti yaşlıydı. Diğerleri, sizi yeminle temin ederim çocuktu. Hem bu iş birkaç günlük değil on günlük bir meseleydi. Evet, anlattıklarına göre Dürzileripek perişan etmişler. Asıl saldırgan olanlar Dürzilerdir. Bizimkisi intikam için yapılmıştır. Bir çok mal da elden çıkmıştır. Fakat emir yine sizin. Gerek Nuri Şalan ve gerekse ben, sizi kıramayız. Eğer suçluları isterseniz bütün Urban gücenir. Belki de bazı meşayih, aşiretleri önünde küçük düşmemek için vermezler. Çünkü gazve (çatışma) tesadüfi değildi, tertip edilmiştir."

### *Yağma Mallarının Tümünü Geri Aldım*

Söylediklerini düşündüm ve bilhassa Nuri Şalan'ın da işin içinde bulunması nedeniyle sorumluların bulunması konusunda bir imkân göremeyerek, "İki taraf çarpışacağı kadar çarpışmış. Şimdilik bunu aramıyoruz. Yalnız yağma mallarının kurtarılıp tarafımıza teslimini rica ediyoruz" dedim. Çok sevindi. "Beni de müşkül mevkiden kurtardınız. Artık üst tarafını bana bırakınız ve siz artık müsterih olunuz" dedi. Bizi uzaktan takip eden bir kölesine işaret verdi. Adamı geldi. Yirmi küsur hecin süvarinin hemen hazırlanıp çadıra gelmesini emir verdi. Yarım saat sonra gittiğimizde hepsi hazırdı. Hepsini hususi talimatla aşiretlere gönderdi ve buradan kâni oldum ki, bütün aşiretler birleşerek bu gazveyi yapmışlar. Ertesi günü benim yanımda yağmalanan mallarla ilgili bir şey söylenmedi.

Saatler geçtikçe canım sıkılmasına rağmen, ne olduğunu ne ben soruyor ne de o söylüyor, hep başka şeylerden bahsediyorduk. Ben bir hareket görmüyordum. Öğle yemeğini iştahsız yedim. O sürekli bir şeyler anlatıyor, ben de dinler görünüyordum. Bir aralık, "Biraz gezelim" dedi. Çıktık. Halimden canımın çok sıkıldığını anlamış. Bana dedi ki: "Size hepsini hazır göstereyim dedim olmadı. Yalnız bir yerden hayvanat bekliyorum. Satılmış olan yerden de başka yere geçmiş, oradan alıp getirecekler, yeri uzak. Benim de sabrım tükendi. İnşallah akşama kadar yetişir."

Beraber ilerleyerek, biraz yüksekçe bir tümseğe çıktık; arka kısmında ne göreyim, ortalık panayır yerine dönmüş, bütün develer, eşyalar kısım kısım ayrılmış. Başlarında muhafızları, sessiz sedasız bekliyorlar. "İşte bu gördüğünüz mallar ve hayvanlar hep Dürzilere aittir. Yoklaması yapılıyor, sonuç alındıkça gelip bana haber veriyorlar" dedi. Burada binden fazla deve, at, ester, merkep, maşlah ve her türlü eşya, nala mıha varıncaya kadar mevcuttu.

Ne yalan söyleyeyim bu manzara karşısında halim derhal değişti. Gülmeye, sevinmeye başladım. Hadise dedi ki, "Ben henüz memnun değilim. İki jandarmanın da silah ve cephanesi alınmış. Bunları da getirmediler. Israrla istedim. Bekliyorum." Ben hayretle, "Ne münasebet hangi jandarmaların silahı olacak?" diye sordum. Gülerek, "Yerli Dürzi jandarmalarından ikisi de bu kafileye katılmış, bunları öldürmemişler ama silahlarını almışlar. Er geç bunu anlayıp, silahları geri isteyeceğinize şüphe yok. İyisi mi elden çıkartılmadan bunları alalım, dedim" diye cevapladı. Sonra, "Uğraşıyorum. Herhalde gelir" dedi. Yüzbaşı Abdülkadir Bey bu tüfeklerden hiç bahsetmemişti.

Nihayet akşama bir saat kala beklenen hayvan, eşya ve tüfekler geldi. Menzile gittik. Hadise Hıreyşe, gururla fakat haklı olarak şöyle dedi: "Ey aziz Selahattin Bey kardeşim, Arap'ın aldığı bütün çalınan malları, şeyhlerin selamlarıyla beraber size teslim ediyorum. Hükümet, sizin varlığınızla iftihar etsin. Dürziler de anlasın ki Urbani Badiye, Selahattin'i sever ve emirlerini dinler. Yine o Dürzilere göğsünüzü gererek ve korkmadan deyiniz ki, 'Sizin yağmalanan mallarınızı geri aldım. Eğer bir eşyanız ve hatta bir hayvan mıhınız bile noksan çıkarsa benim şerefim noksan olsun.' Altın ve gümüş saatler, her türlü eşya noksansız olarak iade edilmiş olup bu vaziyetle Dürzi katında da itibarınız yükseltilmek istenmiştir. Rica ederim Dürzilere söyleneyecek sözleri söyleyiniz."

Ben de aynen söyleyeceğimi vaat ettim ve filhakika onlara ait kısmını aynen söyledim. Bu kafilenin muhafızlarını da beraberime alarak vaktin geç olmasına bakmadan Dera'ya geldim. Eşyayı tamamıyla geniş ambarıma yerleştirdim. Hayvanatın hepsini de birer birer sayarak Dera Şeyhi Şeyh Fadıl'a teslim ettim ve Süveydiye Dürzi Beyi Abdülgaffar'a da, "Bütün hayvanat ve eşya ve silahlarınız tamamıyla tarafımdan istirdat edilmiştir (geri alınmıştır). Mal sahipleriyle beraber noksansız olarak Dera'ya geliniz" dedim. Resmi telgrafla mutasarrıflıktan yazıldı. Dürzi Beyi Abdülgaffar benim telgrafımı alır almaz sanki bir şey yapmamışlar gibi kaymakamlığa teşekküre gitmişler, hükümeti ve seri icraatını övmüşler. Süveydiye'nin içerisinde ve bazı ilgili köylerde sevinç gösterileri yapılmış.

Hakikaten iki gün sonra, mağdur Dürziler toplu bir halde Dera'ya geldiler. Dera sahası, mahşeri halde dolmuş ve tertipleme iyi bir şekilde olduğundan mal sahiplerine yanlışsız olarak eşyaları verilmiş, zabıtları tutulmuş, yukarıda da arzedildiği gibi evladı Arap'ın sözleri dağıtımın tevziatın sonunda söylenmiş ve onlar da yüksek sesle, "Hiçbir şeyimiz noksan değildir, sizin şerefiniz her şeyin üstünde yüksektir. Var olsun hükümet" diye bağırmışlardır. Artık Dürziler hakikaten hükümete ısınmış ve kuvvetine inanmıştı. Bu rabıta muhafaza edilmiş, Türk ordusu çekildiği zamanda da Dürziler hiçbir ihanette bulunmamış, bilakis ellerinden geldiğince yardım yapmışlardır.

## *İbni Reşid'e Taarruz Girişimi* *

1334 (1918) yılı ilkbaharında, Müzeyrip nahiyesi bölgesinde binlerce hecinsüvarinin toplanmakta ve bu toplanışın gruplar halinde bulunduğu, sebebinin anlaşılamadığı Müzeyrip jandarma karakolundan bildirilmişti. Dera merkezinde ancak 25 kadar süvari vardı. Mahiyeti anlaşılamayan bu Urban toplanışının sebebini anlamak, mümkün olacak idari tedbirleri almak üzere mevcut 25 süvariyle şafakta beraber Müzeyrip'e gittim. Karakolun burcuna çıkarak etrafı dürbünle gözden geçirdim. Müzeyrip karakoluna giderken vasati beş yüzer hecinlik iki grup görmüştüm.

Buradan yaptığım gözetlemede Müzeyrip'in kuzeyi, doğu ve batı kısmında da ayrıca büyük gruplar görülüyordu. Silahlı şahısların meydanda kaynaştığı görülmemişti. Bir müddet bunları burçtan seyrettim. Beşer onar, sağdan soldan iltihak ettikleri de görüldü. Gruplara sordurmak istedim. Verdikleri cevap, "Biz bir şey bilmiyoruz, başımızdakilere sorunuz"dan ibaret kaldı. Öğleye iki saat kala Müzeyrip'in kuzeyindeki gruplardan hareket başladı ve hecinde iki silahlı Arap vardı. Her birinin dağarcığı ve ufak su kırbaları** vardı. Çok sessiz hareket ediyorlardı. Bir kısmı dükkânların önünde hecinlerini çektiriyor, gürültüsüz alışveriş edip sonra yollarına devam ediyorlardı.

* İbni Reşid o dönemde Arabistan'da gittikçe güç kazanan Vehhabi Suudlara karşı Osmanlılara destek veren büyük bir aşiret reisiydi. Osmanlıların çekilmesinden sonra bölgede kısa ömürlü bir hükümet kurmuş, ancak daha sonra Suudlar tarafından tarih sahnesinden silinmişti.

** Deriden yapılan ve suyu serin tutan bir çeşit matara.

Yanıma bir jandarma eri alarak yollarına çıkıp hangi aşiretten olduklarını, böyle silahlı nereye gittiklerini sordum. Başlangıçta sorularıma cevap vermek istemediler. Israrla sorunca, Araplar kızdılar ve, "Sen kim oluyorsun da bize soruyorsun!" dediler. Ben sadece, "Ben Selahattin, niye bana cevap vermezsiniz, nasıl olsa anlayacağımı bilmez misiniz?" dedim. Vaziyetleri değişti. "Ya Salah, bizi uğurlayın, biz çöle gideriz, bizden mamure dahilinde bir zarar gelmez. Daha fazla malumat isterseniz başımızdakiler şimdi geriden gelecek, onlara sorun ve bize gücenmeyin, uğurlayın" diyerek, tekrar yollarına devam ettiler.

Giyinişlerinden de başka başka aşiretlere mensup oldukları anlaşılıyordu. Bilhassa Ruvale aşiretinden olanlar kendilerini gösteriyordu. Bekledim ve akışı seyrettim. Nihayet Ruvale ve Velediali aşiretlerinden iki reisleri, yani kumandanları geçti. Nereye ve niçin gittiklerini sordum. Kendimi de tanıttım. Çünkü bunlar aşiret reisleri değillerdi. "Biz çöle gidiyoruz. Halka ve hükümete bir zararımız yoktur. Hiçbir Arap, halktan parasız bir çöp bile almaz. Alırsa derhal ceza ederiz. Bugün çöl kenarındaki Metaiye kenarında toplanacağız. Bir şikâyet olursa bir haber gönderin, derhal icabına bakarız" dediler.

## *İşe Yarayan Tehditler*

"Mamure dahili olsun olmasın sizin bir silahlı taarruz yapacağınız meydanda. Hükümet sizin bu halinize göz yumamaz ve bir kısım halkını ezdiremez. Evet, benim yanımda şimdi yirmi beş süvari var. Binlerce hecinliyle harp edemem fakat emin olunuz ki Arabistan'ın her yerinde sizin aklınız almayacak kadar topu ve makineli tüfeği, tayyaresi, piyade ve süvarisi vardır. Devlet beni sizin vaziyetinizi anlamaya gönderdi. Eğer benim emrimi dinlemez, kendi başınıza hareket ederseniz hükümet sizi her taraftan çevirip yapacağınız taarruza mani olur. Beyhude yere de bir çok insan kırdırmış olursunuz. Bana doğrusunu söyleyin. Aşiret reislerinden ne emir aldınız? Hangi aşirete ve mamureye taarruz edeceksiniz?" dedim.

Biraz düşündüler, sonra, "Biz İbni Reşid üzerine intikam harbi yapmaya gideriz. Başka hiçbir aşiret üzerine gazve yapmayacağız. Size yalan söyleyemeyiz. Evet, bütün aşiretlerden kuvvet vardır ve aşiret reisleri böyle karar verdiler, Selahattin" dediler. "İbni Reşid'i bugün yalnız sanıyorsunuz, yanılıyorsunuz. İbni Reşid'de top da var, makineli tüfek de ve Türk subayı da. Şimdi bununla harp etmek hükümetle harp etmek demektir. Sizin aşiret reisleriniz benim aziz dostlarımdır. Bu kuvvet Metaiye havalisinde toplanadursun, siz mutlaka benim söylediklerimi bilhassa Ruvale Şeyhülmeşayihi Nuri Şalan'a olduğu gibi selamlarımla beraber söyleyin. Derhal bu kuvveti geri çektirsin. Ben yarın akşama kadar Dera'dayım, çekileceğini ve ya çekilmeyeceğini bana haber göndersin. Aksi takdirde hükümetçe ona göre tedbir alınacaktır" dedim.

Fazlaca durmayarak Dera'ya geldim. Düşündüm şayet Arap beni oyalarsa veya bir nümayiş yapıp tekrar çöle bir yürüyüş yaparsa İbni Reşid'i gafil avlatırdık ve sonra da pişman olurduk herhalde; bir haber vermeyi uygun gördüm. Durumun aciliyeti dolayısıyla Suriye vilayetine, Medine'de İbni Reşid'e birer telgraf çekerek kısa durumu bildirdim. Kuvvetlerin geri çekilmesi için şiddetli teşebbüse geçildiğini, kısa zamanda alınacak neticenin ayrıca bildirileceğini ilave ettim. Mutasarrıflığa da bir yazıyla arz ettim.

Filhakika söylediklerim aşiret reislerine söylenmiş. "Bu işin önüne de Selahattin çıktı, vazgeçelim" demişler. Kuvvetleri geri çekmişler. Nuri Şalan'ın benim emniyet edeceğim bir adam göndererek, "Madem ki Selahattin muvafık görmemiş ve böyle bir zamanda başka bir gaile çıkmasını da arzu etmemiş, o halde seve seve kuvvetlerimizi geri çekeriz. Biz İbni Reşid'in hükümetle ilgili olduğunu da bilmiyorduk. İkaz ettiğine memnun kaldık ve geri çektiğimize de katiyen emin olsun" demişler. Ben derhal muhtelif istikamete gönderdiğim merkez bölüğü süvarileriyle durumu keşif ettirdim. Filhakika Metaiye'den kuvvetlerin geri çekildiği ve yine muhtelif gruplar halinde aşiretlere dağıldığını öğrendim ve ek birer tel yazdım. Böylece Urban'ın İbni Reşid üzerine taarruzu önlenmiş oldu.

### *İbni Reşid'in Maiyetiyle Yemek*

Aradan altı aydan fazla bir zaman geçmişti ki Şam'a izinli gittiğimde Salihiye'deki evime giderken yokuşun alt başında bir pencerenin camı kırılırcasına vuruldu. Sokakta tesadüf bu ya benden başka kimse de yoktu. Yukarı baktım. Evin kapısı da açıktı. Evvela bir Medineli Arap göründü. "Selahattin Bey siz misiniz?" diye sorarken, bunun peşinden kendi sınıf arkadaşım Şahin Bey çıkmaz mı, tuhaf oldum. Şahin Bey'in bu Arap'ın evinde işi neydi?

Şahin'le kucaklaştım. "Yahu senin Şam'da bulunduğundan hiç haberim yoktu. Hay Allah iyiliğini versin" dedim. "Ben," dedi, "şimdi İbni Reşid'in vekili umumisinin maiyetinde bulunuyorum." Şaşırdım. "İbni Reşid'in vekili umumisi de mi vardır" dedim. "Evet buyrun bakın, sizi gıyaben tanıyor ve çok seviyorlar" dedi. İçeri girdim. Sefaret heyeti gibi doktoru da Türk'tü. Başkâtibinin yanı sıra ve vaktiyle İstanbul'da bulunmuş teşrifatçısı olan Medineli Arap da güzel Türkçe konuşuyordu.

Velhasıl çok sıcakkanlı zatlarla karşılaştım. Medineli Arap, "Aman bizim Reşid Paşa sizi o kadar seviyor ve sizi o kadar arıyordu ki, bir görüşseydiniz derhal anlardınız. Vali Bey'le görüşmeye gitti. Şimdi gelir. Biz, beklerseniz çok memnun oluruz, hem de görüşmüş oluruz" dedi. Benim için zaten aynı sınıf, aynı kısım ve bölümden Şahin Bey'i bulduktan sonra mesele yoktu. Uzun boylu kendi sınıf arkadaşlarımı sordum. Kendisi hakkında malumat aldım. Bir aralık, çok konuşkan ve hoşsohbet zat olan doktorla, başkâtibi dinlerken öğle vakti oldu. Müsaade isteyip gitmek istedim. Otomobile, vekili umumi binip gitmişti. "Otomobil burada olsaydı derhal birisini gönderirdik. Öyle anlaşılıyor ki vali yemeğe alıkoymuştur. Yoksa geç kalmaz gelir" dediler. "Başka vakit görüşürüz" dedim, ayrılmak istedim. Ne mümkün, "Yemek hazır birlikte yeriz öyle gidersin" dediler. Israr ettiler. Kaldım. Fakat Reşid Paşa'yla görüşemedim.

Şam'dan ayrılırken bu zatlar bir sadakat gösterdiler. Ben uğramadığım halde, bir bağcı ile, birisi geldi. "Elhumma İstasyonu civarında Reşid Paşa'nın beş yüz süvarisi var. Bu elbiseyi de Paşa gönderdi. Arzu ederseniz istediğiniz kadar süvariyle sizi Halep'e bırakırlar veya ortalık sükûnet buluncaya kadar Paşa'yla kalırsınız" dediler. Teşekkür ettikten sonra, "Ben vazife aldım. Maalesef gelemeyeceğim. Selam ve arzı vedalar ettiğimi söylersiniz" dedim. Teminatlarına rağmen kabul etmedim.

## *Cemal Paşa'nın Nuri Şalan'ı Sinirlendiren Mektubu*

Ruvale aşiretinin 1334 (1918) yılı başındaki karışık durum arz ettiği için, Cemal Paşa'nın titizlenmiş ve sözü geçen aşiret şeyhülmeşayihi Nuri Şalan'a bir emir yollamıştı.* Ezra Jandarma Bölük Komutanlığı'na verilmiş olduğum, orduya arz edilmemiş veya bildirilmesine lüzum görülmemiş olmasından dolayı Cemal Paşa, önemli görülen bir hususun acele soruşturulması zorunluluk haline geldiğinde, Suriye Vilayet Jandarma Alay Komutanı (...) Bey'i çağırmış. "Havran Estersüvar Komutanı Selahattin Bey halen nerededir?" diye sormuş. O da, "Kendisi Ezra Jandarma Bölük Komutanlığı'na verilmiştir. Şimdi Ezra'dadır" cevabını vermiş. Bu soru, Şam'a geç gelmiş olmasından dolayı yatsı sıralarında yapılmış. Paşa, aldığı cevaptan duyduğu memnuniyetsizliği, "Buraya verildiği bize bildirilmemiştir. İşlerimiz geri kalıyor," diye dile getirdikten sonra, "şimdi kendisine gidecek iki zarf vardır. Biraz bekleyiniz. Zarfları Kurmay Başkanı'ndan alır almaz bu geceki trenle yanına giderek orada icabını yapacaksınız. Bir ordu şifresi de verilsin" demiş. Kısa bir müddet sonra bu zaflar

*Lawrence'ın Kahire'den General Clayton'a 10 Temmuz 1917 tarihinde yolladığı ve isyandaki rolünü ve yaptıklarını anlattığı "gizli" kayıtlı mektubunda Nuri Şalan'la ilgili iddialarına da yer verir. Lawrence'a göre, Temmuz 1916'da görüştüğü Nuri Şalan, diğer aşiretler arasında tek başına kalmış, muhtemelen de bu yüzden isyana katılmak için işbirliğine istekli gibi görünmüş ve ikili oynamayı kabul etmişti.

kendisine verilmiş ve yolcu edilmiş. Ezra'da, daire istasyonda, memur evleri de köyde bulunuyordu. Jandarma Alay Komutanımız o gece Ezra'ya gelmiş, yatağını dairede hazırlatmış, gönderdiği iki süvariyle de ertesi günü erken gelmem için bana haber göndermişti. Erkenden gittim. O da sebebi merak ettiği için erkenden kalkmıştı.

Komutan Bey, kısaca olanı, yukarıda, arz edildiği gibi anlattı. Zarfları, çıkardı. Birisi doğrudan doğruya Ruvale Şeyhülmeşayihi Nuri Şalan'a aitti. Diğerinin üzerinde "Ezra'da açılacaktır" ibaresi vardı. Komutan, "Zarf açılmamıştır. Alınız açınız" dedi. Kapalı zarf açıldı. Bunda yapılacak iş bildiriliyor; Alay Komutanı'na gelecek raporların, ordu şifresiyle nerelere bildirileceği izah ediliyordu. Vakit ramazandı. Ben de oruç tutuyordum. Ben halen Nuri Şalan'ın nerede bulunduğunu bilmiyordum. Bunun için vakit geçmeden hareket etmeyi uygun buldum. On süvari aldım. Komutan Bey, "Azdır, fazla alınız" dedi. Zaten fazla süvarimiz olmadığından, "Kalan süvariyle, şayet gecikirsem, irtibat temin edersiniz veya herhangi müstacel bir iş için lazım olur?" diyerek, almadım.

Kuneytra'nın Colan mevkiine doğru ilerlerken, Nuri Şalan'ın bulunduğu mevkiyi öğrenip, o istikamete yöneldim. Oldukça hâkim bir mevkiye konmuşlar. Bizi uzaktan görür görmez üzerimize ateş etmeye başladılar. Bilhassa bana karşı böyle hareket etmezlerdi. "Acaba bunlara ne oldu?" diye merak ettim. Aynı zamanda Arap usulü at oynatarak yanlarına yaklaşmaya başladım. Benim Arap kısrağımı hemen bütün Arap bilirdi. Bu sefer aldırış eden olmadı. Biz hiç aldırmadan ilerledik, fazla yanaşınca ateşi kestiler. Nihayet Arap içerisine girdik. Hakikaten bambaşka bir vaziyetle karşılaştım. Ordu tarzında beyaz mahruti (konik) çadırlara silahlı Araplar yerleştirilmiş, kıyafetleri adeta üniforma gibi bir örnek olmuş, çadırlar asıl çadırlarından ayrılmış, siyahi kölelere varıncaya kadar hepsi silahlı dolaşıyor. Bizi sanki tanımamışlar gibi etrafımızı evvela silahlı köleler sardı.

Ben Nuri Şalan'ı görmeye geldiğimi söyledim. Bizi büyük beyaz bir çadıra aldılar. Keza etrafımız hâlâ silahlı siyahi kölelerle sarılıydı. Bu hal, doğrusu çok canımı sıkmıştı. Ben estersüvardan ayrıldıktan sonra Arapların arasına gitmemiştim. Umumi vaziyette filhakika iyiye gitmiyordu. Nihayet Nuri Şalan, peşinde başka aşiret reisleri olduğu halde bulunduğum çadıra geldi. Hal hatırdan sonra, bana, "Seninle düşmanız, Sen Dürzi mıntıkasına gitmişsin ve onlarla dost olmuşsun" dedi. Ben, "Vazife, Devlet nereye emir verirse oraya gideriz, fakat biz ferd olarak hiç kimseyle düşman değiliz" dedim.

Böyle söylerken Arapların silahlı çemberi sıklaşıyordu. Askerlerim gözümün içine bakıyordu. Şüphesiz hepsi büyük tehlike seziyordu. O halde, eldeki silahları kullanmadan Arapların çullanması ihtimali çoktu. Doğrusu neşem kaçmış, bilhassa aramızda böyle kötü niyetlerin gelişmesinden çok müteessir olmuştum. Nuri Şalan elindeki bambu kamışını yere vurarak, "Bakın meşayih, bu zat adildir. Bugüne kadar adaletten ayrılmamış ve herhangi bir şekilde menfaatine düşmüş değildir. Evet adaleti sağlamak için icabında çok sert davranmıştır. Ben adalet icra ettiğimde Arap benden intikam almaya kalkar mı?" dedi. Diğer meşayihten (şeyhlerden), "Hayır ne münasebet" sözleri yükseldi. Bunun üzerine, "İşte hiçbir Arap Selahattin'den intikam almaya kalkamaz. Şayet teşebbüs ederse ben intikamını alırım. Buna kimse el uzatamaz" deyince, silahlı Araplar o kadar çabuk dağıldılar ki, hayret. Askerin de yüzü güldü. Çünkü büyük tehlike atlatılmıştı.

## *Arapların Arasına Karışan İngilizler ve Fransızlar*

Bazı sözlerden sonra istirahat etmem için Nuri Şalan ayrılınca, ben de çadırdan çıkıp biraz Arap içinde dolaştım. Her zamankinden farklı olan bir şey hemen dikkatimi çekti, Arap içinde çok yabancı vardı. Bunlar kimlerdi ve ne için gelmişlerdi? Kimisi Fransızca ve kimisi İngilizce konuşuyor... Kıyafetleri de şehirliydi. Çadırlar içinde Arap kıyafetinde, fakat konyak da kullananları görünce ben bu çadırları tecrübeli çavuşlarla seri bir şekilde gözden geçirttim.

Aşiretin büyüklüğünden özel postası ve müstakil bir şehri bulunmasından kinaye olarak Nuri Şalan'a aynı zamanda "Çöl Padişahı" da denirdi. Filhakika diğer Urban-ı Badiye de bunun sözünden ve emrinden çıkmazdı. İşte Nuri Şalan'ın şimdi özel bir askeri teşkilat yaptığı ve hariçle temasını temin için lisan bilir kâtipler aldığı tamamıyla anlaşılıyordu. Ben dolaşıp geldiğim zaman kabul salonu şeklinde eski Apti Paşa yapımı, yüksek etekli ve, halılarla döşenmiş büyükçe bir beyaz çadıra davet ettiler. Yalnız başıma iki saat kadar bir zaman bu çadırda uzanıp dinlendikten sonra Nuri Şalan'ın buraya geleceği bildirildi.

Nihayet Türkçe bilen Bağdatlı kâtiple birlikte geldiler. Artık burada yalnız konuşabilirdik. Ben gördüklerimi açıkça bildirmek ve izahat almak zorundaydım. Bunun için çekinmeden sordum. "Hususi askeri teşkilat yapmışsınız. Bir zaruret mi hissettiniz? Bununla beraber, fena da değil, size kuvvet lazım olunca elde hazır asker var demektir. Fakat Çöl Arabı'nın size karşı gazve yapmaya teşebbüs etmesi akla bile gelmez. Şu halde hakiki toplu kuvvetlere ihtiyaç olacak galiba" dedim, güldü. "İyi buldun, lakin Osmanlı hükümetine karşı değilim ve siz de bilirsiniz ki bu yaşıma geldim geleli böyle bir şey de yapmadım. Evvelce size açıkladığım gibi ne olursa olsun yine de yapmam. Çünkü hakiki bir düşmanlık görmedim. Bu kuvvet son durumlar nedeniyle dahili durum nazik bir hal almıştır. Tedbirli bulunmazsak Arapları ezdiririz. Bunun için derli toplu bulunmaya lüzum gördük. Siz de gezip gördünüz ya, şüphesiz gözünüzden de kaçmamıştır. Cemal Paşa şüphelenmiş, bize birkaç casus göndermiş, güya onlar da içimizde bulunup içyüzümüzü Paşa'ya bildirecekler; kendileri misafir şekilinde bize gelmişlerdir" dedi.

Halbuki Paşa, bunlardan bahisle bir şey bildirmemişti. İhtimal ki bu zatları çok merak ettiği için beni göndermiş olacaktı. Çünkü Paşa'nın sevdiği yaverlerinden bir bahriye üsteğmeni de vardı ve bunu da bizzat bir Arap kıyafetinde görmüştüm. Nuri Şalan'a, bunlardan katiyen haberim olmadığını, şimdi kendisinden duyduğumu, söyleyerek, ne zamandan beri kendilerinde misafir olduklarını sordum. Nuri Şalan, "Bir aydan beri burada bulunuyorlar. Bir şey anladıklarına da kani değilim. Sizin gibi gezememişlerdir bile... Bununla beraber buradan ayrılıp Paşa'ya da gidemezler. Paşa da beklesin. Ben onları çöle götüreceğim" diyerek, hiddetli bir halde söylenmeye başladı.

## *Nuri Şalan Burnundan Soluyor*

Ben Nuri Şalan'ın tabiatını bildiğim için aksi bir kelime bile etmedim, zaten Cemal Paşa'nın emrini de henüz kendisine vermemiştim. Biraz fasıla verdikten sonra diğer yabancı şahısların da çok olduğunu, bunların da son karışıklıklar nedeniyle mi geldiğini sordum. "Evet, bunlar Lübnanlı'dır. Hepsi lisan bilir, iş bilir adamlardır. Belki lazım olur diye aldım. Bir kısmı da bunları görmek için misafir suretiyle gelmiştir. İçlerinde siyasi ve adli suçlu kimse yoktur. Bilirsin ki ben de karışık adamları sevmem" diye cevapladı. Bu şekilde epey konuştuk. Bana karşı tavrını hiç değiştirmedi.

Ben Paşa'nın emrini çıkarıp bizzat kendisine verdim. "Paşa bu tahriratı (resmi yazışma) bizzat vermemi emretmiş. Ben de aldım. Hem de çoktan görüşmemiştik, bu vesileyle zatı âlilerini görürüm diye sevindim" dedim. Memnun oldu. "Benim de göreceğim gelmişti, inanınız ki bizzat oğlum Nevvaf'a da söylediğim gibi, aynı oğlum Nevvaf kadar sizi sever ve birbirinizden ayırt etmem" dedi. Zarfı kâtibe verdi. "Açık oku da Selahattin Bey de anlasın" dedi. Okudu. Bunda gönderdiği şahıslardan bir kelime bile bahis yoktu. Fakat Nuri Şalan'ın son durumunu beğenmediğini bir hükümet gözüyle açıklıyor, izahat istiyor, tehdit de ediyordu. (Hatırımda kalanları da aynen buraya yazmayı uygun bulmadım.)

Bu amirane ve üstünde hakimiyetini hissettirir şekilde yazılmış emir, Nuri Şalan'ın canını sıktı. Fena fena soluk almaya başladı. Uzun zamanlar bu adamla temasta bulundum, bu kadar azametli olmasına rağmen hükümete karşı hiddetli bir kelime, fena söz ağzından çıkardığını bilmem. Yalnız soluması değişir, elindeki kamışla fazla oynar, o kadar. Tahrirat bitti. Etrafı bir sükûnet kapladı. Hiç kimse bir şey söylemiyordu. Bu sessizliği kendisi, "Siz de işittiniz ve beni de bilirsiniz. Burada da gördünüz. Bilmeyerek de biraz görüştük. Paşa'nın şüphesiz size de itimadı vardır, olmasa sizi göndermez. Bakınız nereden geliyorsunuz. Benim de Paşa kadar şahsınıza itimadım var. Ne dersiniz; öyle cevap verelim ve yapalım. Yalnız sizden lüzumsuz bir ricada bulunacağım, izzeti nefsim de kırılmasın." Sustum. "Evet" diye söyletmek istedi. "Şüphesiz siz daha iyi bilirsiniz" dedim. Israr etti. "Ya Nuri Şalan, bir hükümet gözüyle bakılacak olursa, bilmeyerek size sorduğum gibi hükümetin sorması, anlaması ve ona göre tedbir alması zaruridir. Öyle düşünüyorum ki Paşa haklı soruyor değil mi?" dedim.

Paşa'ya hak verdiğini, "Evet haklıdır," diye onayladıktan sonra yine de memnuniyetsizliğini, "fakat bu ciheti açıkladım. Katiyen hükümete karşı muhalif bir tavrım yok. Sebeplerini de anlattım. Yalnız Paşa bu itimatsızlığı öteden beri devam ettiregelmiştir. Bunu daha başka bir şekilde anlar ve belki de direktif verebilirdi. Fakat ne derse desin, benim asla Türk hükümetine ve Türk'e bir zararım olmaz. Aksine olarak belki elimden gelirse yardımım da dokunur. Yine eskisi gibi bu ciheti siz de iyi takdir edersiniz" diye dile getirdi. Sözlerinin canımı sıktığını anlamış olacak ki, "Kalk Selahattin biraz gezelim" dedi.

## *Nuri Şalan'ın Faysal İçin Söyledikleri*

Öyle anlaşılıyordu ki benimle konuşacağı hususlardan Bağdatlı kâtibin haberinin olmasını istemiyordu. Derhal kalktım, dışarı çıkıp yürümeye başladık. Hararetli hararetli anlatmaya başladı. "Şerif Faysal ve Abdullah, Arabiye kurmak ve bütün Arabistan'a hâkim olmak istiyorlar. Şüphesiz bunları bizden daha iyi bilirsiniz. Şöyle bir düşünelim. Bunlar Peygamber sülalesinden olduklarını iddia ediyorlar. Acaba sülale-i tahireden (Peygamber sülalesinden) midirler? Hayır hayır, vaktiyle filhakika şürefadan (şerifler) olan zatlar aranmış. Mekke'deki reisler de, 'Şayet sülale-i tahireden olan zatları gönderirsek hükümet, bir daha iddia olmasın diye bunları yok eder. Biz kendi elimizle bu zatları nasıl teslim ederiz? Buna imkân yok' demişler."

"Kimsesiz bir fakirin iki çocuğunu şürefa bunlardır diye göndermişler. Beklenenin aksine hükümet bunlara hiç zararda bulunmamış. Bilakis hükümet merkezinde alıkoymuş. Okutmuş, adam yetiştirmiş, sonra da bunlara yüksek maaş vermiş ve birtakım büyük haklar tanımış. Bu vaziyet üzerine filhakika gönderenler pişman olmuşlar ama doğruyu söylemeye korkmuşlar. İşte şimdiki şeriflerin aslı böyledir. Hakiki şeriflerle bir alakaları yoktur. Biz naklen böyle biliriz. Siz söyleyiniz, böyle aslı nesli belli olmayan kimselere benim gibi bir adam acaba tâbi, yani merbut (bağımlı) olabilir mi, buna imkân görüyor musunuz? Söyle Selahattin, Allah aşkına söyle!" diye hiddetli bir tavırla göğsüne parmaklarının ucuyla kısa ve sert darbeler vurarak karşılık bekliyordu. "Buna imkân mı vardır, ya Nuri?" dedim, "Bir sultan-ı berr, velev ki (tut ki) şürefadan da olsa, sizi hâkimiyeti altına alabilir mi? Asla, asla!" dedim. Ne yalan söyleyeyim dahasına dilim varmadı. O da anlayarak beni zorlamadı. "Yalnız, bilirim, siz beni çok yakından tanırsınız. Bununla beraber, belki durum böyledir diye yanlış bir mülahazada bulunmayınız, diye size tekrarlatmış oldum. Şimdi bugünkü teşkilatımın sebebini yakından anladınız değil mi?" dedi. "Şüphesiz anlamış olmakla beraber, daha yakından takviye etmiş oldunuz" dedim misafir çadırına dönüşümüzde...

## *Busr-ı Eski Şam'a Resmi Görevle Gidişim*

Yukarıda da arz ettiğim gibi taburumuz Kudüs'ten Havran'a döndükten sonra beni bir bölükle ve mevki komutan vekili sıfatıyla Mayıs 1334'te Busr-ı Eski Şam'a göndermişler ve bu sırada Salhat Kışlası'nı da tamir ettirmişlerdi. İşte bu sırada, yerli halkın ileri gelenleriyle tanışmış, ahbap olmuştum. Ezcümle (kısacası), eski belediye reisiyle de çok samimi görüşüyordum; ara sırada beni evine davet ediyordu. Kendi pek sempatik bir adamdı. Ara sıra bağına da götürür, nefis üzümleri mahallinde yedikten sonra kasabaya dönerken, o sıra küçük oğluyla kışlaya da gönderirdi.

Bir gün ikinci küçük oğlu hastalanmış. Yataktan kalkamaz olmuş. Bana, "Benim küçük oğlum çok hastalandı. İki üç gündür ateşler içinde yanıyor, ne yapacağımı şaşırdım. Burada doktor da yok. Bilmem ki ne yapalım Selahattin Bey?" dedi. "Vallahi ben de anlamam ama bir göreyim de elimizdeki ilaçlardan verelim. Bir de Salhat merkezindeki tabur doktorunu çağıralım. İnşallah faidesi olur. Hepimiz seviniriz" dedim. Dereceyi alıp evine gittim. Çocuk 39,5 derece hararetle yanıyordu. Hemen kinin verdim, ne yapacaklarını söyledim, Salhat Kışlası'na da parıldakla haber yolladım. Tabur komutanından doktorun gönderilmesini, hem eratın sıhhi muayenesinin yaptırılması hem de ağır bir hastaya ilaç yetiştirilmesini istirham ettim. Çok sevimli ve temiz kalbi olan Binbaşı Rüştü Bey, çok münasip, "Hemen yola çıkarayım" dedi ve genç doktoru gönderdi. O da gelirken kendi yanındaki ilaçlardan almış. Çocuğu iyi muayene etti, ilaçlar verdi. Anasını ve babasını teselliye çalıştı. Fakat hakikatta ümitli değildi. Hastayı çok ağır bulmuştu. Yalnızca, "Elden geleni yapayım" dedi. Bütün imkânlar seferber edilmesine rağmen, çocuk üç gün sonra ebediyete gözlerini kapadı. Çocuğun vefatına rağmen doktorun her husustaki gayretinden memnun kalmışlardı.

Bu kasabanın diğer ileri gelenleriyle de iyi tanışmıştık. Hatta bunlardan biri Havran mebusu olduğunda, babama yazmış. Kendisine İstanbul'da yabancılık çektirtmemiştim. Bana gelince cidden bu iyi insanları çok sevmiş ve kendilerine karşı emniyet hissi beslemiştim. Kısa bir müddet sonra memuriyetim değişmiş, çok hazin bir şekilde bu yerden ayrılmıştım. Halk ve askerlerim beni yolcu etmeye istasyona gelmişlerdi.

## *Askerin Gösterdiği Sevgi*

Trenin hareketi sırasında özellikle askerlerim, "Bizi bırakıp nerelere gidiyorsunuz, ölünceye kadar biz de seninle beraber gideceğiz" diyerek hareket eden trenin önüne birkaç defa atıldı. Bunun üzerine şef ve makinist, "Askerleri çiğneyeceğiz, bunun bir çaresine bakın" diye ricaya geldiler. Trenden inip, hepsine nasihatta bulunmak mecburiyetinde kaldım. Buna rağmen beş altı asker trende saklanmış, Dera'ya peşimden geldiler. 25. Tümen Kumandanı Sait Sadi Paşa'nın çağırdığı gün bu meseleyi de arz ettim. Askerleri gördü, onlara nasihat etti. Gösterdikleri sadakat ve rabıtadan (bağlılıktan) dolayı her birine kırk beşer günlük izin verdi ve eski birliklerine sevklerini temin etti.

İsmini yine açıklayamayacağım bu sadık askerlerden biri bilhassa şahsım için çok yüksek fedakârlıklarda bulunduğu gibi, aynı zamanda devlet ve millete karşı da yapabileceği azami hizmeti yapmıştı. Bu hizmetleri ben teklif etmeden, zemin ve zamanı müsait bularak yerine getirmişti, ki ne kadar övsem azdır. Kendisinden Allah razı olsun. İkinci defa Busr-ı Eski Şam'a gittiğimde görülen hizmetlerin, vazifelerin daha iyi anlaşılması için birinci gidişimle ilgili hususları açıkladım. Birinci Umumi Harp'in nihayetine doğru 1334 (1918) ortalarında Busr-ı Eski Şam jandarma bölük komutanlığına tayin edilmiş, oraya varışımda aynı zamanda aşar (ürün olarak toplanan vergi) ambar müdürlüğüne de tayin edilmiştim. Kısa bir zaman sonra da aynı zamanda Satın Alma Komisyonu başkanlığına atandım.

Eski Şam'ın bütün telgraf hatları ve demiryolu hükümet tarafından söktürülmüştü. Burası ulaşım ve haberleşme imkânlarından mahrum kalmış ve adeta çöle terk edilmiş durumdaydı. Fakat Cebel-i Duruz'un güneyinde, ordunun sağ yanını teşkil eden bu mevki ve kale, ehemmiyetsiz görülemezdi. Kaymakam henüz geldiği gün, birkaç kopuk, nümayiş (gösteri) yapıp misafir olduğu yerin tavanına birkaç kurşun sıkınca, ertesi günü, "Burada mülki idare teessüs edemez. Hükümet isterse azletsin ben gideceğim. Allah sizin yardımcınız olsun" dedi ve ayrıldı gitti. Bunun üzerine kaymakam vekâletinin de tarafımdan deruhte edilmesi (üstlenmesi) emri verildi.

## *İbni Suud İsyanı Yayılıyor*

Gün geçtikçe, yani Filistin Cephesi harekâtı fena gittikçe, halkın vaziyeti de değişiyordu. Ben esasen Teşkilat-ı Mahsusa'nın bölgedeki reisi olduğum için her sahaya adamlarım vasıtasıyla nüfuz etmek zorundaydım. Gerek ordu ve gerekse mülki makamlarca, bilhassa Arap âlemi hakkındaki durum tamamıyla meçhuldü. Üç ordu üç cephede savaşıyor, Araplar içindeki kaynaşma yeterince bilinmiyor, Ordu'nun gerisi tamamıyla tehlikeye düşüyordu. Hicaz'da cereyan eden vakadan* Basri Paşa'nın şifresi sayesinde haberdar idim. Divan-ı Âli kararıyla, Emir Faysal'ın Şam'daki durumu hakkında da bilgilendirilmiştim. Faysal'ın tekrar Hicaz'a intikalinden sonra durum bütün bütün karışmış, vaktiyle Kanal Cephesi'ne verilmiş olan gönüllüler de geri gönderilmeye başlanmış, bir müddet resmi haber alınamaz olmuştu. Yalnız Lavrens'in** bir şeyler çevirdiği tahmin ediliyordu.

Çöl, umumi yol mahiyetini almıştı. Çölde hâkimiyet temin edilmedikçe ordu sağ cenahı temin edilemezdi. Bunun çaresi düşünüldü ve temin edildi. Yalnız isyancıların faaliyet sahası bizce meçhul olduğundan, daimi kontrol icap etmekteydi. Adamlarımızı uzaklara kadar sürmek zorundaydık. Öyle yapıldı. Kalet-ül Ezra'da ve tam zamanında izlendi. Adamlarımız Emir Faysal ve kardeşi Abdullah'tan birer İngiliz filintasıyla, fişeklerini ve beşer İngiliz altınını aldılar. Bura-

* Şerif Hüseyin'in Osmanlılara karşı başlattığı isyan.
** I. Dünya Savaşı'nda Arapları isyana sürükleyen ünlü İngiliz ajan Yarbay T.E. Lawrence. Adı, anılarda Günay'ın yazdığı şekilde Lavrens olarak bırakılmıştır.

daki kuvvetleriyle, hedef ve zamanı, hareketlerini öğrendikten sonra geldiler. Ben gördüğüm lüzum üzerine derhal Dera'ya gittim. Mutasarrıf Hacim Muhittin Bey'i buldum. Hemen tedbir almasını istedim. Yanımdaki mübayaa (satın alma) paralarını da Defterdarlık vasıtasıyla vezneye teslim ettim. 4. Ordu Komutanı Cemal Paşa'ya makine başında durumu arz ettim. Yanımda Mutasarrıf Hacim Muhittin Bey de mevcuttu. Paşa inanmak istemedi. "Her sene böyle şeyler çıkar, sonra aslı çıkmazdı" dedi.

*Casus Lavrens (Lawrence)*

Ben tam bir ciddiyetle bunun doğruluğunda ısrar ettim. Aynı zamanda bir harp subayı olduğumu da söyleyerek, sebepsiz yere buraya da gelmeyeceğimi ilave ettim. Muhabere bitince Mutasarrıf Bey'le beraber telgrafhaneden ayrıldık. Resmi ve vicdani vazifemi yaptım. İktidarımda olanlar da bu kadardı. Eski Şam'a geri döndüm.

Artık her iki tarafın hususi teşkilatı mütemadiyen çalışıyor... Ara sıra sözlü veya fiili tehdit ediliyorduk. Benim yolda vurulacağımı, çekip gitmem lazım geldiği tehditlerinin arttığı günlerde, Emir Faysal ve Abdullah kuvvetleri Ümmü Sereb'e geldi. Güneyimizde bir buçuk saatlik bir mesafede karargâhlarını kurdular. Eski Şamlılar da kendi kuvvetlerinin Busr-ı Eski Şam'a girmesine engel olunmamasını ve benim kuvvetlerimin de Eski Şam'ı terke zorlanmasını istediler. Esasen Şerif Faysal'ın, Eski Şam'dan bir kısım halkı kendi taraflarına çekmeyi sağlamak için Umeyş Fırkası adıyla bir parti kurdurmuş ve başına da Kör Abdullah adlı bir kişiyi getirdiği anlaşılmıştı. İleri gelenler bana vaziyeti anlattılar. "Ne yapalım?" diye de fikrimi sordular. "Red cevabı verirsiniz. Buradan şu dahi kendilerine verilmez. Harp istiyorlarsa girsinler" dedim. Benimle aynı fikirde olduklarını söyleyerek, "Seninle beraber Eski Şam'ı müdafaa ederiz. Biz sana asla çık diyemeyiz" dediler.

## *Eski Dostlarla Karşılaşma*

Yalnız işte bu sırada, Umeyş Fırkası'nın mevcudiyetini söylediler ve bana, "Sen bu çocuğu tanıyacaksın, eski Belediye Reisi'nin oğludur" dediler. Kalbime bir serinlik geldi. "Siz karşılığını verin ben Abdullah'ı görürüm" dedim. Ertesi günü Abdullahların evine gittim. Annesini sordum, geldi. Kendimi tanıttım. Şaşırdı. "Hay Kör hay!" dedikten sonra devam etti: "Benim aklıma sen geldin de, 'Oğlum buraya gelen Selahattin sakın bizim bildiğimiz Selahattin olmasın, git iyi anla' demiştim. 'Hayır anne senin bildiğin ordu subayıdır. Bu jandarma subayıdır' demişti. Ah, demek ki iyi anlamamış. İyi ki geldin." Uzaktan evin içinde görünen şerifin subayları da bu konuşmalar üzerine çekilmeye başladılar. Kadıncağız şaşırmış, "Bir tarafta çabuk odayı hazırlayın kızlar" diyor bir taraftan da, "Çabuk Abdullah'ı bulun" diyordu.

Misafirhanesi hazırlandıktan sonra içeri girdik. Biraz sonra da Abdullah geldi. Tabii çocuk büyümüş, bir delikanlı olmuştu. Kadıncağız, "Oğlum ben sana demedim mi, belki bu adam bizim bildiğimiz adamdır git gör; işte tam kendisi. Ah ölen rahmetli kardeşine ne fedakârlıkta bulunmadı. Doktor getirtti, ilaç getirtti, ne mümkünse yavrum için uğraştılar fakat Allah'ın emri sevgili oğlum gitti. Lakin bunlar kurtulması için candan çalıştılar. Biz bunların medyunu şükranız (teşekkür borçluyuz). Kör, babanın da çok sevdiği Selahattin Bey'e yardım etmezsen analık hakkımı helal etmem" dedi. Abdullah şaşırdı. "Anam ben bilmedim. Şimdi hatırladım ve iyi anladım. Benim de canımdır, benim de ağabeyimdir, merak etme" dedi.

Ev sahibesi kadıncağız akşama kadar beni bırakmadı. Akşamüzeri, "Oğlum sepeti hatırladın mı, eskisi gibi bağa gidip üzüm yiyin ve üzüm getirin. Sevgili babanın da ruhu şâd olsun" dedi. Gayri ihtiyari her ikisinin de gözleri yaşardı. Bu hüzün-aver (hüzün verici) manzara karşısında elemle karışık bir memnuniyetle sepeti alan Umeyş Fırkası Başkanı Abdullah'ı takip ettim.

Artık Abdullah benim yabancım değildi ve artık bana şahsen ihanet edemezdi. Faysal'ın subayları şüphesiz ki çok fena duruma düşmüşlerdi. Oraya, bilmeyerek verilmiş söz de vardı. Abdullah'ın da bu yüzden sıkıldığı belliydi. Fakat her ne olursa olsun beni feda edemezdi. Bağdan dönülmüş, yine dolu sepet kaleye getirilmişti. Yerli halk bu manzarayı hayretle seyrediyor ve bir taraftan da seviniyordu. Zaten ben İkinci Havran İsyanı'nda asilerin Busr-ı Eski Şam Muhasarası'nda kaleye sığınmış olanlarını kurtarmıştım. O gün de görülecek bir âlemdi.

### *Dürzilerden Duygulandıran Jest*

Emir Faysal ve Abdullah'ın yazılı ihtarlarına Busr-ı Eski Şamlılar topyekün red cevabı verdiler ve bunu bana da bildirdiler. Bir müddet geçtikten sonra tekrar bir ihtarnameyle kardeş kanı dökülmeden Eski Şam'ın teslimini istediler. Buna da red cevabı verildi. Artık Eski Şamlılar silahlı olarak damlarda yatıyorlardı. Bu ikinci tazyikten nereden haberleri olmuşsa Cebel-i Duruz'da haberdar olmuş. Başlarında Salhat Beyi Nesip Bey Atraş olmak üzere dört yüz, beş yüz süvari Busr-ı Eski Şam'a gövde gösterisi için gelmiş. Beylerden müteşekkil ufak bir grup da beni ziyarete geldi. Bu zatlar bana dediler ki, "İşittik ki sizi buradan çıkartmak veya sizi Faysal'a teslim için Eski Şam'ı tazyik ediyorlarmış. Belki bir kahpelik ederler diye buraya geldik. Eski Şamlılara, size bir fenalık yaparlarsa Eski Şam'ı muhakkak harap edeceğimizi söyledik. 'Eğer Selahattin Bey'i muhafazadan aciziz derseniz biz Dürzi kuvvetleriyle burayı muhafaza edeceğiz. Eğer Selahattin Bey tercih ederse kaymakamlık merkezini Cebel'e alacağız, ne dersiniz, dedik' dediler. Eski Şamlılar, 'Biz ölünceye kadar onu müdafaa ederiz. Dürzi kuvvetlerine lüzum yok. Şayet ilerde lüzum görülürse biz size haber veririz' demişler. Biz senin emrine geldik. Siz ne emir edersiniz ya Bey?" dediler. Duygulandığımı belli ederek, "Eski Şam'ı şimdilik terk etmem muvafık (uygun) değildir. Sizlere bilhassa gösterdiğiniz çok samimi dostluktan dolayı teşekkür ederim. İlerde lüzum görürsem, size ayrıca ricada bulunurum. Eski Şamlıları da kırmayalım" dedim. Bunun üzerine çok iyi bir şekilde ayrıldık ve benim de haklı olarak göğsüm kabardı. Böyle kritik bir anda Dürzilerin bir tarafın lehinde harekete geçmesi, belki Dürzi tarihinde görülmüş bir şey değildi. Bir kısmının sadakatlerine ve mertliklerine bu yönden hayran oldum. Bir kısmına diyorum, çünkü, bunların içlerinde muhalifler de vardı. Bunlar azınlığı teşkil etmekle beraber Beyler Beyi'ne muhalif ve rakip olması dolayısıyla yok sayılamazdı.

Busr-ı Eski Şam'ın en nüfuzlu şahsiyeti ve Miktad ailesinin reisi olan Mansur-ül Miktad'ı öteden beri tanır ve hürmet ederim. 85'lik bu şayanı hürmet zatı, ikinci defa Eski Şam'a geldiğimde hemen ziyaret etmiş, saygılarımı sunmuştum. Bu zat da beni çok sever, ihtiyarlığıyla beraber arzularımı, şahsıma inanarak yerine getirirdi. Mesela, yine hatıramda geçeceğine göre, bizzat Dera'ya gelmesini bir defa kendisine yazmıştım ve bu isteğim derhal yerine getirilmişti. Gelişen bunca beklenmedik olaya rağmen karşılıklı gösterilen sadakatten her ikimiz de en ufak bir şüphe duymamış aksine baba oğul gibi birbirimize inanmıştık. Yapılan ziyaretler sırasında, Şerif Faysal ve kardeşinin Busr-ı Eski Şam hakkındaki isteklerine verilen cevaplarda Eski Şam'ın nasıl müdafaa edileceği ve her ikimizin tarzı hareketi tartışma konusu olmuştu. Böyle mühim şeyleri beraberce görüşürken içeri yalnız uzun boylu bir kahvecisi girer, kahvelerimizi verdikten sonra çıkar giderdi. Ben Mansur'a, "Bu adam kim? Biz çağırmadan yanımıza gelir, bize kahve verir" dedim. O da, "Bu adam yabancı değil, Eski Şamlı bir fakir adamdır, bundan zarar gelmez" dedi. Başka ısrar etmedim.

Ben Busr-ı Eski Şam'da Üsküdarlı Rıfat Bey'in kızıyla

evlenmiştim. Vaziyetin gittikçe kötüleştiğini görünce bu ailenin Şam'a nakline lüzum gördüm. Sekiz deveye ihtiyacım vardı. Mansur'dan istedim. "Aman Umeyşler yağma ederler, bizimkiler vermeye cesaret edemezler" dedi. İlk defa sükûtu hayale uğradım. Fazla ısrar etmedim.

Abdullah Umeyş'e söyledim. "Baş üstüne, ne zaman emredersiniz?" dedi. Gününü bildirdim. O gün develerle beraber bizzat kendisi de geldi hatta eşyalar yüklenirken sırtına alıp götürmeye başladı. "Aman ne yapıyorsun Abdullah, siz zahmet etmeyiniz. Adamlarımız var" dedim. Abdullah, "Olmaz, bu bana şeref verir" dedi. Men edemedim. Kendi adamları da yardım ediyordu. Eşyalar yüklendi. Ben jandarma muhafızlarla yola çıkarken kendi de ayrıca silahlı adamlar verip, "Dera'dan bu adamlarla develeri iade edersiniz" dedi. Mansur-ül Miktad, Abdullah Umeyş'in bu hareketine şaştı. Dünya ve insan durumlarındaki değişimler cidden dikkate değer. Durumda vahamet artıkça her şey sıfıra yanaşmakta, mana ve mefhumlar (kavramlar, değerler) ortadan kalkmaktadır.

## *Savaş Arefesinde Bir Düğün*

Bir gün beni bir düğüne davet etmişlerdi. Gittim, öğle yemeğini orada yedik; Arabistan'ın ve belki bütün dünyanın İslam âleminde tanınmış bir şahsiyeti vardı: Şeyh Mehmet Cibavî. Bu zat beni çok sever ve Havran'a uğradıkça beni bulur, görüşürdük. Kendisi meczup* olarak tanınmaktadır. Bazı vakalardan dolayı kimse kendisine muhalefet edemez. İşte bu zat o gün Eski Şam'a gelmiş, beni sormuş. Düğünde olduğumu anlayınca oraya geldi. Düğün sahibi sevinmiş, bizim gelin ne uğurlu, diye iftihar etmiş. Şeyh Mehmet, iltifatlara aldırış etmeyerek sürekli beni sorarak ilerlemiş. Nihayet beni, bir köşede yalnız başıma beklerken buldu. Ken-

* Tanrı sevgisine tutulmuş, bu yüzden akla uygun davranmayabilen kimse.

disine hürmet ettim, yer gösterdim. "Sizinle görüşmeye ve vedalaşmaya geldim" dedikten sonra, bana, kısaca bir dua edip eliyle arkamı sıvazladı ve kulağıma eğilerek, "Korkma Selahattin, kardeşlerine kavuşacaksın, yolun açıktır. Bizim Cibali'deki Cibvi'ye de uğra, oku; beni de hatırlayasınız. Ben duacınızım. Haydi Allah selamet versin" dedi. Elimi Müslümanca sıkıp son veda nazarlarını da atfettikten sonra süratle ayrıldı. Ev sahibinin davet hususundaki ısrarları boşa gitti. Sonra ev sahibi yanıma geldi. "Şeyh Mehmet sizin için gelmiş, bir lokma yemek yediremedim" dedi. Ben de kaleye döndüm.

Aynı günün akşamı Sadettin Miktad yanıma gelerek, düğün sahibinin ısrarla gelmemi istediğini söyleyip, beni düğüne götürmeye geldiğini söyledi. "Pekâlâ" dedim. Sadettin, her ihtimale karşı tertibat aldırmıştı, on beş kadar silahlı adamla gelmişti. Yanlarında bol ışıklı eski bir imam feneri de vardı. Garibime gitmekle beraber, ses çıkarmadım. Sadettin Miktad ile ben ortada yürürken, diğer silahlılar tamamıyla etrafımızı çevirdiler, silahsız siviller de etrafımızı aldılar, bu halde dışarıdan hariçten silah atılacak olsa evvela etrafımızdakiler vurulacak. Hoş bir manzara olmamakla beraber bir kere "peki" demiş olduk. Bununla beraber fena da olmadı. Düğün evinde yemek yedikten sonra bir kenara çekildim, hayalâta (hayallere) daldım. Gün be gün işler kötüye doğru gidiyor. Bir salâh (barış) yolu görünmüyordu. Kaledeki Arap efradı tamamıyla silahlarıyla kaçmış yalnız on iki Türk jandarma piyade efradı kalmıştı. Bu kuvvetle koca kalenin müdafaasına ihtimal yoktu. Zaten kale beden duvarlarının üç yeri de yıkıktı. Memurlardan yalnız küçük sıhhiye memuru Türk, diğerleri Arap'tı. Bursalı sıhhiye memuru, "Aman sen çekilirken beni de götür" diye ricada bulunmuştu. Süveydiye kaymakamıyla, jandarma teşkilatı üç gün evvel Şam'a çekilmişti ki burası daha kuzeyde ve Şam'a daha yakındı. 4. Ordu Komutanı Mersinli Cemal Paşa'dan son aldığım mektupta, görülen işlerden teşekkür etmekte, çekilmemi açıkça bildirmemekle beraber, mektubunun sonunda, "Sıhhat ve selametinizi diler gözlerinizden öperim oğlum" demekteydi. Evvelki mektuplarında bu kelimeyi kullanmamıştı. Burada kalışımın yegâne sebebi, Eski Şam'dı; Eski Şamlıları elde bulundurmak ve orduya mühim haberleri yetiştirebilmekti.

## *İsyan Büyüyor*

Şerif Faysal ve kardeşi Abdullah'ın karargâhı Ümmü Sereb'den Metaiye köyü yanına taşınmıştı. Arap kuvvetleri, yedi tank, yedi tayyare (uçak), bin beş yüz muntazam, bir o kadar da gayri muntazam olmak üzere takriben üç bin kişiden ibaretti. Siyasi mültecilerin adediyse bir hayli kalabalıktı. Faysal şehre yaklaştıkça kuvvetlerinin artacağına kaniydi. Bizim de bütün emelimiz kuvvetlerinin artmasına mâni olmak ve bilhassa tamamıyla silahlı olan Havran'la Cebel-i Duruz'un bunlara katılmasının önüne geçmekti. Bu vazifeyi ifa etmeyi ön plana almıştım, ancak bizim idareciler bu durumu kendileri de itiraf edeceklerini akıllarından bile geçirmiyorlardı.

Merhum Mersinli Cemal Paşa da zaten dahilin idaresini bana bırakmış, lüzumunda kendisine yazmamı son mülakattan ayrılışımızda bana bildirmiş, Ordu şifrelerinden bir suretini de bana vermişti. Arap kuvvetlerinin Dera'ya taarruzu Cemal Paşa'ya benim bildirdiğim tarihte, yani tam Kurban Bayramı'nın birinci günü başladı. Maalesef henüz kuvvetlerimiz oraya yetişmemiş olmasından bu Arap taarruzunun merkezi sıkletini (ağırlığını) benim eski bölüğüm Havran Estersüvar Bölüğü çekmiştir.

Arap'ın tank, tayyare ve bunca piyade kuvvetleriyle taarruzunu hemen hemen yüz elli kadar iyi yetişmiş estersüvar eriyle Almanların iki makineli tüfek, bir kudretli Cebel Bataryası ve on kadar Alman tayyaresi defetmiştir. (Alman kuvvetlerini de tahmini olarak yazıyorum.) Şerifin kuvvetleri Metaiye'ye geldikten sonra Alman tayyareleri buraya hücum etti ve bir hava muharebesi de oldu. Maalesef bir Alman tayyaresi, İngiliz tayyareleri tarafından alevler içinde düşürüldü. Bununla beraber Almanların tayyare taarruzları iyi netice vermiş, Araplar tekrar Ümmü Sereb'e çekilmeye mecbur kalmışlardı. Her iki tarafın gizli teşkilatı faaliyetini artırmış, bilhassa Arap ve İngilizler, kuvvet ve nüfuzla kazanamadıkları muvaffakiyeti İngiliz altını ile elde etmeye çalışıyorlardı. Lavrens çok cömert davranıyor, emeklerinin boşa gitmemesi ve muzafferiyeti vaktinde kazanmak için her fedakârlığı göze alıyordu.

## *Lavrens'in Rüşvet Teklifi*

Lavrens'le önceden tanışmış ve birbirimizin zekâsını ölçmüştük.* Emir Faysal ve Abdullah'ın Eski Şamlılara Arap olmalarına rağmen bir tesir yapamamaları, Metaiye'den geri atılmaları ve Dürziler arasına yapmış olduğum kısa seyahatin de müsmir netice (verimli sonuç) vermesi üzerine beni parayla elde etmeye karar vermişler. Bunu da açıktan gönderdiği bir adamla bildirmişlerdi. Lakırdılar, gönderilen adama adeta ezberletilmişti. Lavrens, "Birbirimizi tanırız. Ben kendisine yol gösterecek halde değilim ve bunu takdir ederim. O da vaziyeti umumiyeyi pek âlâ takdir eder ve akıbetini de bilir. Elindeki kuvvetler de azalmıştır. Bize bir iyilik yapıp sıkışık durumdan kurtarsın. Eski Şam'dan kendiliğinden çekilsin. Kendisine yine kendisinin belirleyeceği tarz ve şekilde on beş bin İngiliz altını veririm. Bankaya mı yatırayım, tayyare ile kaleye veya istediği bir yere mi atayım veya doğrudan doğruya bir otomobil mi göndereyim de, kendisine münasip bir şekilde vereyim. Bu hususu tamamıyla kendi kararına bırakıyorum. Sözün dışında katiyen bir hileye sapmayacağıma namus ve şerefim üzerine söz veririm. Kendi hayat ve selametini de korurum" diyordu.

Bu resitasyon (nutuk) bittikten sonra, bir saniye bile düşünceye dalmadan, "Evvela elçiye zeval yok, bunu bana nakletmek dahi büyük bir cesaret ve soysuzluktur. Biz altınlar için çalışmış olsaydık Lavrens'in altınına ne hacet, Osmanlı devletinin bana çölde teslim etmiş olduğu milyonluk hazine-

* Bu konuda ayrıntılı bilgi için kitabın sonunda sayfa 129'daki Ek'e bakınız.

sinden istediğim kadar alır, hem de yine kendilerine hizmet ederdim. Bunu Lavrens de bilir. Fakat kendi gayesini düşünerek, birdenbire hatırlayamamıştır. Ben vatanımı ve şerefimi İngiliz altınına satamam. Ben Faysal ve Abdullah değilim. Beni hâlâ iyice anlayamadığı anlaşılıyor. Beyhude Eski Şam için ısrar etmesin ve Arap'ı da Arap'a kırdırmasın. Haydi sen de çekil, sakın bir daha geleyim deme!" diye cevap verip, adamı kovdum.

### *Suikast Girişimleri*

Lavrens'in boşa giden bu teşebbüsünün sonunun başka türlü çıkacağını tahmin etmiştim. Zaten Dera'ya ilk taarruz ettikleri gün, yani Kurban Bayramı'nın ilk günü (16 Eylül 1918), bana da üç yerde pusu kurulmuş; akılları sıra bu üç yerdeki pusudan kurtulamayıp öleceğim, bunlar da rahat rahat istedikleri gibi oynayacaklardı. Düşmanın dini, vicdanı olmaz. Bunlar da yani Emir Faysal ve Lavrens de bayram namazına gideceğim yol üzerine bu pusuları kurmuşlardı. Hamdolsun bu üç muhtelif yerden üzerime ateş edildiği halde hiçbiri isabet etmedi ve kaçmaya mecbur kaldılar. Heyecansız bayram namazını kıldım ve fakat tertibat aldırarak yerime döndüm.

Bu günden sonra daima ihtiyatlı hareket ediyordum. Lavrens'in adamını kovduktan sonra daha da terbirli olmaya çalıştım. Esasen kalenin bir burcunda yatıyordum. Burada bile bir baskına uğramamak, uğrandığında da boş bırakılmamak üzere tertibat alınmış, muhtelif yerlere silahlar yerleştirilmiş, daimi muayeneye tabi tutulmuştu. Masamın sağ gözü daima çekikti ve emniyeti kaldırılmış tabanca da içine yerleştirilmişti.

Lavrens tehdidini sıklaştırdı. Adamları vasıtasıyla, sokağa çıktığımda hemen vurulacağımı, en iyisinin bir kazaya kurban gitmeden çekilmem olduğunu yayıyorlardı. Bu şayialara nazaran (söylentilere bakarak) dışarı çıkmasam kısmen başarı temin etmiş olurdu. Bunun için hiçbir işim olmadığı halde, tertibatlı olarak, yine eskisi gibi ahbaplarımla görüşür, dönerdim. Hatta bu çıkışlarımı geceleri bile yapar olmuştum. Lavrens zannediyordu ki, yalnız Arap aşiret reisleri vasıtasıyla kendisinin tedarik etmiş olduğu şahıslarla benim etrafımı almış, dilediği gibi hareket edecek; ben de eli kolu bağlı bunlara razı olacağım. Halbuki benim paradan ziyade kalben bağlı adamlarımla kendi etrafları tamamen çevrilmiş bulunuyordu. Bugün dahi açıklamak istemediğim bu zatlar vasıtasıyla gerek şahsım ve gerekse ordumuz hakkındaki kararları mutlaka zamanında haber alır, ona göre gereğini temine çalışırdım. Hal böyle olunca, Selahattin'den kurtulmak için beni ölü veya diri kendilerine teslim edecek olana beş yüz altın vereceklerini de ilan etmişler.

### *Affettiğim Suikastçı*

Bir gün, evvelce jandarmalık yapmış, beni tanıyan ve fakat Busr-ı Eski Şamlı olmayan bir Arap nasılsa kale kapısındaki jandarmaları kandırmış, silahıyla içeri girmiş, dahili teşkilatı bildiği için doğru benim bulunduğum burca çıkmış; tesadüf bu, derhal gözüme çarptı. Odamın kapısı da açıktı. Beni görünce tüfeğini doğrultup, 'daha iyi vurayım' diye bir iki adım daha atarken derhal tabancamı doğrultarak bağırdım. O, esasen tabanca kullandığımı bilir, ilk fırsatta başarılı olamazsa ölümün mukarrer (kaçınılmaz) olduğuna inanır olanlardan olduğu için derhal tüfeği attı, yüzükoyun yere kapandı ve hemen yalvarmaya başladı. Tüfeği alıp kendisini ayağa kaldırmak istedim ama ne mümkün. Ayakları tutmuyor, sağ kaldığına da adeta inanmıyor.

"Anlat bakalım nasıl oldu?" dedim. Araplar tarafından kandırıldığını, fakat beni tanıdığından ilk fırsatta muvaffak olamazsa sonunun hüsran ve felaket olduğunu bildiği için hiçbir gücü kalmadığını ve eziyet çekmemesi için hemen öldürülmesini istedi. Lazım gelen sözlerden sonra su içirttim ve askerlerin yardımıyla bir sandalyeye oturttum. Aklı başına geldikten sonra çekip gitmesini söyledim.

Söylediklerime inanamayarak, "Ben yeniden yaşıyorum,

ölünceye kadar sana hizmet etmek isterim ve kanımla, size yaptığım kötülüğün cezasını ödemek isterim" dedi. Ben de buna, "Sen korkak bir adamsın, bize yük olma ve hem de sana emniyet edilmez. Sen satın alınmış bir adamsın" dedim. "Yalnız ben prensip itibariyle şahsım için kimseyi kurban etmek istemediğimden seni de affediyorum. Çekil git, gözüm görmesin" dedim. Çekildi. Fakat, aşağı inerek, "Bu ne iyi adammış. İşitirdim fakat inanmazdım. Araplar da bunu çok sever. Benim ihanetimi bilirlerse belki de bunun dostları beni vururlar, belki de eziyet ederler. Ben gidemem" diye askerlere yalvarmış. Benim haberim olmadan mateessüf (ne yazık ki) bu adamı alıkoymuşlar. Bilahare biz Eski Şam'ı terk ederken bu da meydana çıktı... Geceleyin bize kılavuzluk etmek suretiyle yaptığı kusuru ödemeye çalışmaz mı...

## *Odadaki Yılan*

Gün geçtikçe şımarıklık artıyordu. İngilizlerin altınları tesirini gösteriyordu. Geceleri benim bulunduğum burcun odasına mavzerle ateş ediliyor, isabet eden kurşunlardan taşlar kopuyordu. Bu kale böyle mavzer kurşunlarına değil, belki on beşlik toplara bile dayanıklıydı. Kale taşları granitten ve her biri birer metreküpe yakın kalınlıktaydı. Onun için sanki bir şey olmuyormuş gibi kemali emniyetle oturuyor ve her zaman ki uğraşlarımla meşgul oluyordum.

Bu odayı hatırlayınca, oda arkadaşımı da hatırlamamaya imkân yoktur. Bu odaya yattığım ilk geceler, dosya dolabı üzerindeki eski kâğıtlar arasında bir hışırtı hisseder ve bir mana veremezdim. Dikkat etmeğe başladım. Birden, dosya dolabına yakın pencerenin kırık bir taşının arasından, bilekten kalın siyah renkli bir yılanın girdiği ve dosya dolabının üzerine çıkarak çöreklendiğini gördüm. Yılanın boyu gayet uzundu; yüksek dolabın üzerinde ağır ağır çöreklendiği vakit kuyruk tarafı hâlâ delikten çıkmıyordu. Bu tehlikeli mahlûka dokunmak istemedim. Her sabah güneş doğmadan evvel aynı delikten çıkıp giderdi. Buna karşı aldığım tedbir, karyolamı ortaya çekmek, sabaha kadar yeri görecek kadar lamba yakmak, bir kenarda da su bulundurmaktan ibaretti. Bu mahlûk hiç odanın içerisinde dolaşmadı. Yalnız kendi yatağında yattı.

## *Cephane Vagonunun Kurtarılması*

Cephede vaziyet iyi değildi. Düşman ilerliyordu. Faysal kuvvetlerinin Mafrak İstasyonu'ndaki üç cephane vagonunu ateşleyeceklerini haber aldım. Haberi, derhal Dera'da bulunan Mersinli Cemal Paşa'ya bir raporla arz ettim. Bizimkiler de cephaneye yetiştiler. Son süratle raporu yetiştiren eski bölüğün eratından beş eri, ceplerindeki altınları vermek suretiyle taltif etmiş (ödüllendirmiş) olduğu gibi, bana da ayrıca taltiflerini (iltifatlarını) yazmışlardı. Bu genç çocuklar bütün manasıyla vazifelerini yapmıştı. Hayvanların da kan ter içinde olduklarını görülmüştür. Ben de Paşa'nın emirlerini yerine getirdim.

Yine bir gece yarısına doğru kale kapısına Mansur-ül Miktad'ın uzun boylu kahvecisi gelerek Mansur'dan bana bir haber olduğunu söylemiş, nöbetçiler haber verdi, "Getirin" dedim. Getirdiler. Tanıdım; gördüğüm bildiğim adamdı. "Mansur'un selamı var, Faysal ve Abdullah'ın kuvvetleri Eski Şam'a yaklaşmışlar, Mansur, Selahattin Bey hemen gelsin, ne tertibat alacaksa yapalım" dedi. "Emriniz" dedi. Filhakika böyle bir şey konuşmuştuk. Bu adam hakkında da hüsnü şahadet etmişti. Ben de uyku sersemliğiyle, fazlaca bir şey düşünmeyerek, "Peki gidelim" dedim. Kendisini odadan çıkarttım. Silahım ve paralarımı üzerime aldım. Avcı ceket ve yeleğimi giymiştim. Aşağı indim. Erattan uyanmış olan birisine hemen silahını alıp benimle gelmesini söyledim. Silahını aldı. Artık ben başka bir şey düşünmeyerek, "Düşman nereye kadar gelmiş? Mansur nasıl haber almış?" diye dostça bununla konuşarak giderken birden peşimize hiç tanımadığım, kıyafetlerinden yabancı oldukları anlaşılan iki kişi peyda oldu. Bunların sindikleri anlaşılıyordu. Biri sağa ve biri solum gerisinde yürüyor, ellerinde çekilmiş hançer görünüyordu. Bu adamlar da seçme güçlü kuvvetli adamlardı. İşin anlaşılmayacak tarafı yoktu. Geriden gelen jandarmaya baktım, görünmüyordu. Mansur'un evine doğru gitmek istedim. "Mansur evde değil, kasabanın kenarındadır. Biz oraya gideceğiz" dedi.

## *Ayışığında Ölüm Tuzağı*

Hiç aksilik göstermeden, "Peki" dedim, yalnız avcı ceketimin cebinden mendil çıkarır gibi yaparak, tabancamın emniyetini açtım ve artık Allah'a sığındım Hiç konuşmadan tövbe ve istiğfar ettim. İmanımı tazeledim. Allah da şahid-i adildi ki, sırf vatan ve milletime sıdk ve sadakatle hizmet etmekte, bu vazifeyi yaparken kimseden korkmamakta ve zerre kadar da menfaatimi düşünmemekteydim. Allah'ın lütuf ve inayetine, bana olan rahmi ve şefkatine bütün imanımla emindim. Bütün mevcudiyetimle şunu söyleyeyim ki, kalbime zerre kadar korku gelmedi. Yalnız ölümüm mukadderse (kaçınılmazsa), takdiri ilahi yerini bulur. Tüm kalbimle inanarak dini vazifelerimi önceden yapmış, mücadeleye imanla hazırlanmıştım. Üç güçlü kuvvetli şahsa karşı bir zayıf şahıs bulunuyordum.

Kasabanın kenarındaki taşlık bir yere geldik. Ay da etrafı aydınlatıyor, karşıda dört eğerli at görünüyordu. "Peki söyleyin nereye gideceğiz?" dediğim zaman Mansur'un kahvecisi, uzun boylu şahıs, tam kalbimin üstüne hançerini çekti. O kadar sağlam tutuyordu ki ara sıra elektrikleniyordu. Arkamdan gelen iki Medineli şahıstan biri hemen sağıma diğeri soluma geçmiş, hançerlerini omuz başlarımda bulunduruyorlardı. Kahveci dedi ki, "Bizi engellemeye kalkma, şu hançerlerin altında ölürsün. Şu gördüğün kısraklara binip seni Faysal'a götüreceğiz. Biri de senin içindir. Onun için dört tanedir" dedi.

Ben dilimin döndüğü kadar niçin böyle ihanet ettiklerini, Arap haber alırsa kendisini de öldüreceklerini; Havran ve Cebel-i Duruz'daki nüfuzumdan bahisle kendisini bir taraftan yine tehdide başladım. Bu adam da beni tasdik ediyor, her birinin alacağı üç yüzer altın için bunu yaptıklarını söylüyordu.

Ben esef ediyordum. Bir taraftan seri bir şekilde durum muhakemesinde bulunuyor, yapacaklarımı düşünüyordum. Cenab-ı Hak bana yardım etmişti. Arkam boştu. Sıçrayıp tabanca çeker ve bu gaddarların elinden kurtulurdum. Yalnız benim için sükûnet, metanet ve çeviklik lazımdı. Ayışığında elime baktım, titremiyordu. Enerjim yerindeydi. Bayağı sevindim. "Peki madem ki paraya ihtiyacınız var, üzerimdeki tekmil madeni paralarla banknotları vereyim. Kafi gelmezse yine de ayrıca tedarik edeyim" dedim. Avcı yeleğimin cebindeki altın ve mecidiyeleri iyice karıştırarak avuçladım, sonra çıkarıp bunların önüne atmamla beraber hemen geri sıçramam ve tabancayı çekmem bir oldu. O kadar güzel sıçramıştım ki bunlar ayıldıklarında donakaldılar.

Hele kalbimin üzerine hançer tutan alçak kahvecinin eli olduğu gibi kalmakla beraber küçük dilini yutarcasına öyle bir "hiii" diye iç çekti ki olur şey değildi. Hemen hâkim vaziyete geçtim. "Ellerinizdeki hançerleri yüksek taşın üzerine bırakınız, bir adım atarsanız muhakkak her birinize iki kurşun atar, sizi yere sererim. Tabii beni işitmişsinizdir" dedim. Derhal hançerleri dediğim taşın üzerine koydular. Kahveci yalvarmaya başladı. "Ellerinizi yukarı kaldırın!" dedim. Kaldırdılar. Ben bu hançerleri alıp uzağa fırlattım. İki Medineli'yi yan yana getirttim. Arkalarını döndürdüm, daha korkak çıkan kahveciye de paraları toplatıp yüksek taşın üzerine koydurdum. Onu da diğerlerinin yanına sokarak paraları alıp bunları yürüttüm. Tabii ben bütün bunları yaparken bülbül gibi şakıyor, daima uyanık olduğumu gösteriyordum. Bunları kasabaya doğru yürütmeye başladım, Medineliler kasabaya girmeyi, "Bizi öldür ama kasabaya girmeyeceğiz" diyerek reddediyordu. Silah kullanırsam, dam üstünde ve tetikte bekleyen Eski Şamlıların benim olduğumu bilmeden ateş etme ihtimalleri yüksekti. Bir taraftan da babamın çok küçükken bana ettiği ve sonraları tekrarladığı nasihat aklıma geldi. Pis kanlarına ellerimi bulaştırmak istemedim ve, "Defolun, bir daha görmeyeyim sizi" diyerek bunları serbest bıraktım. Öyle kaçıyorlardı ki, sağ kalacaklarını ihtimal bile vermediklerinden, son hızla koşarken durup arkalarına bakıyor, sonra yine koşmaya devam ediyorlardı. Biri pantolonunu çözmüş korkudan büyük abdestini ediyordu.

## *Kahvecinin Evinin Yıkılması*

Kaleye döndükten sonra Mansur-ül Miktad'a haber gönderdim. Kalkmış, yanına gittim. Cereyan eden vakayı anlattım. Çok üzüldü. "Demek beni de iğfal etmiş, ben halinden bir şey anlamamıştım. Bu adam bana da dost değildir öyleyse. Büyük geçmiş olsun. Verilmiş sadakan varmış. Bu haini ben sağken bir daha Eski Şam'a sokmam" dedi. Benim bu adamları öldürmediğime hayıflandı, yukarıdaki düşüncelerimi anlattım. "Eski Şamlıların sizin o saatte orada bulunacağınıza ihtimal vermeyerek size ateş etmeleri de filhakika çok muhtemeldi. Jandarma da peşinizde yokmuş. Ben de bilhassa dış evlere çok sıkı talimat vermiştim" dedi. Daha fazla yanında kalmayarak sabaha karşı ayrıldım. Sanki bir şey olmamış gibi yatağa yattım.

Öğleye doğru uyandım. Kalktığımda, "Çok kimse sizi sordu ama, uyuyor, dedik. Uyandırmayın deyip gittiler" dediler. Bir müddet sonra ileri gelenler ziyaretime gelerek, "Kahraman Selahattin büyük geçmiş olsun Rahat rahat uyumanız da bu duruma ehemmiyet (önem) vermediğinizi gösteriyor. Siz Eski Şam'a büyük bir ders verdiniz. Soğukkanlılığın bir örneği oldunuz" dediler. Bana layıkıyla alaka gösteremediklerinden dolayı mahcup olduklarından bahsederek, "Bugünkü yaptığınız işi daha evvel yapacaktık. Tahminde aldanmışız. Şimdi ne kadar şüpheli şahıs varsa elbirliğiyle kasabadan defettik. Lazım gelenlere de talimat verdik. Menhus alçak kahvecinin evini tamamıyla, bütün Eski Şamlılar elbirliğiyle yıktılar. Hak ile yeksan ettiler (Yerle bir ettiler). Karısı ve çocuklarını bir daha dönmemek üzere kasabadan kovduk. Siz de bir görünüz" dediler. Hep beraber çıkıp, kahvecinin evine gittik. Ev, filhakika tamamıyla yıkılmıştı. Kendilerine gösterdikleri dostluk ve iyi niyetten dolayı teşekkür ettim. Kaleye döndüm.

## *Busr-ı Eski Şam*

Busr-ı Eski Şam Kalesi hakkında biraz izahat vereyim: Bu kale, Romalılar zamanında gayet metin ve sanatkârane yapılmıştır. Büyük ve küçük bütün kapıları taştandır. Bugün dahi kullanılabilir. Dahili taksimatı o kadar güzel ve o kadar etraflı düşünülerek yapılmıştır ki, iyice tetkik edenler hayretten kendilerini alamazlar. Bizim zamanımızda bile bu kalenin gizli taraflarını bilenler pek azdı. Bu kalede o kadar güzel yapılmış sütun başlıkları vardı ki görmeye doyum olmaz. Bunlar gizli daireler içerisindedir. Dahilde taş havuzlar bugün dahi su kaçırmaz. İçerisindeki kuyuların gözlü olduğunu tahmin ederim. Çünkü suyu eksik olmaz. Fakat pek az kimse bu kuyuları bilir. Halen bulunmuş olduğunu da tahmin etmem.

636'da, Halife Hz. Ömer zamanında Halid bin Velid burayı Doğu Romalılardan almış, Halife burada bir cami yaptırmıştır. Ticaret için Şam'a gitmekte olan Hz. Peygamber'i nübüvvetinden (peygamberliğinden) evvel gören ve belki bir zarar gelir diye Şam'a gidişlerine mâni olan meşhur Rahip Buhayra'nın yeri de buradadır ve bizim zamanımıza kadar duvarlarının bir taşı bile düşmemiş, olanca ihtişamıyla duruyordu. Selahaddin Eyyubi, eline geçtiğinde kaleyi tamir ettirmiş ve genişletmiş, içine bir de cami yaptırmıştı. Kendi yaptırdığı kısmın etrafını yazılı be-

*Busr-ı Eski Şam'da Roma harebeleri.*

yaz taşla çevirtmiş ve tarih düşmüştür.

Sultan Selim'den sonraki devre ait bir işaret yoktur. Sadece tamir ettirilmiş ve kale olarak kullanılmıştır. Bu kalede görülecek eserlerden biri de güneybatısında, burçlardan birinin üstünde, on üç metre uzunluğunda ve üçer buçuk metre derinlik ve genişliğinde bir yekpare granit taşının (küpün) yetmiş metre yüksekliğindeki burca yerleştirilmesidir. Kalenin etrafındaki toprağın yumuşak olması, yani kalenin ovada bulunmasına rağmen bu kadar ağır sıkletteki granit taşının nasıl taşınıp, getirildiği ve o devirde ceraskal (vinç ve makara) bulunmadığına göre bu kadar yükseklikteki burca nasıl çıkarıldığı insanı etraflıca düşünmeye sevk eder.

*Busr-ı Eski Şam*

Bu kale yapıldıktan sonra pek çok defa deprem atlatmış, koca mamur kasaba harap olup giriş ve çıkışındaki muazzam kapıların yalnız kemerleri, Romalılar zamanında yapılmış bir hamamın kubbesi ve daha eski devirlere ait bazı binalarla, Rahip Buhayra'nın yeri ayakta kalmış, diğer hususi evler enkaz haline gelmiştir. Toprağı verimlidir. Çok tatlı üzüm de yetişir. Büyük bir tatlı memba suyu da vardır. Bu kasabanın coğrafi durumu da önemlidir. Eski Medine yolu üzerindedir. Duruz'daki, uzun müddet İranlıların elinde kalmış Salhat Kalesi'nin de tam batısında, altı saatlik mesafededir.

## *Ah Türk, Bizi Kimlere Bırakıp Gidiyorsun?*

Filhakika orada bulunduğum müddetçe Arap kuvvetlerini Eski Şam'a sokturmadım. Ordusuna su bile verdirtmedim. Şayet ben çekilecek olursam derhal vaziyet değişecek, Arap kuvvetleri burayı işgal edecek ve her hususta faydalanacak, ordumuzun sağ kanadı da kırılmış olacaktı. O kadar heyecanlı ve o kadar endişeliydim ki hayatımda bu kadar sıkıntı çektiğim başka bir zamanı bilmiyorum. Başım neredeyse çatlayacak gibi ağrıyordu.

### *Çekilmemiz Gerektiğini Tesadüfen Öğrenmem*

Bulunduğum misafirhanede, solumda iki metre kadar açığımda ak sakallı iki Eski Şamlı oturuyordu. Bunlar bir aralık benden bahsetmeye başladılar. Kulak verdim. "Bu adam ne iyi adamdır. Biz Havranlılar bundan şimdiye kadar hiç zarar görmemiş, bilakis hep iyilik görmüştür. Vazife dolayısıyla belki gücenenler olmuştur fakat hükümet adamı olmasından kimse, niye yapıyor, diyemez. Aksine memnun olması lazım gelir. Sadettin Miktad, güya buna arkadaşlık yapıyor, bu adamcağızı burada alıkoyup oyalıyor. Kendisine yarınki yapılacak işten haber verse ne olurdu? Sadakat ve iyilik olmaz mıydı? İşte bizim insanlarımız haindir. Hiç kendilerine inanılmaz. Halbuki bizzat Sadettin Miktad bu adamdan ne kadar iyilik görmüştür. Yazıklar olsun. Ona biz söylesek nasıl olur? Türkçe bilmiyoruz ki, zannetmem kendisi de Arapça bilsin. Başka ne yapalım? Vallahi ben o kadar acıyorum ki, elinde askeri de kalmadı. Yerli askeri kaçtı.

*Sultan Atraş*

Şimdi yarın sabah erkenden kaleyi basacak beş yüz kişilik Sultan Atraş'ın süvari kuvvetine nasıl mukavemet edecek? Zavallıyı parça parça edecekler. Sultan Atraş diğer Dürzilerden ayrılmış. Selim Paşa Atraş'ın yerine Beyler Beyi olmak istiyormuş.* Yazık değil mi bu delikanlıya, kahpece öldüreceklermiş" gibi sözlerle hayıflanıyorlardı.

Sadettin Miktad da bana bir şey açmamıştı. Yalnız sıkı bir tedbir olarak beni buraya getirmişlerdi. Bu adamların konuşmalarını mürettep (kurmaca) olarak görmedim. Ciddi görüşüyorlardı. Giyinişlerinden de hatırlı adamlardan olduğu anlaşılıyordu. Bir aralık Sadettin Miktad yanıma geldi. Gideceğimi söyledim. "Erken" dedi. "Hayır, vaktidir" dedim ve beni geldiğim şekilde yolcu etti. Ayrılırken yine bir şey söylemedi.

Kaleye geldiğim vakit kararımı vermiştim. Sultan Atraş'ın huysuz ve oynak bir adam olduğunu biliyordum. Selim Paşa'ya hususi kuvvetlerle karşı koyabilirdim. Artık Şerif'in de kuvvetleri içeriye girecek demekti. Sadettin Miktad da ses çıkarmadığına göre bunları da kendilerine bağlamış oldukları tahmin edilebilirdi. Bunun için artık Busr-ı Eski Şam'da daha fazla kalmaya lüzum görmedim. Kalışımız gereksiz olur, az buçuk elde kalmış kuvveti de beyhude kırdırmış olurdum. Kalede bulunan Rus tüfeklerini sağlam olarak düşmana teslimi uygun bulmadım. Derhal mekanizmaları çıkararak imha ettirdim. Yanıma iki Türk eriyle, silahlandırdığım Bursalı küçük sıhhiye memurunu da aldım. Fakat bu erat Cebel-i Du-

* Sultan Atraş, Fransızların idaresi altında 1921'de kurulan özerk Dürzi emirliğinin başına geçen Selim Paşa el Atraş'ın 1923'teki ölümünden sonra, emirliğin başına geçmek için rakipleriyle mücadeleye girdi. Fransızların yönetime el koymasından sonra 1925'te büyük Dürzi İsyanı'nı başlattı. Ancak isyan kanlı biçimde bastırıldı. Emirlik tarihe karıştı. Sultan Atraş nüfuzunu yitirdi, 1982'de öldü.

ruz'u bilmiyordu. Bir kılavuz lazımdı. Tanıdığım adamlardan birisini çağırmak istedim; daha evvel yukarıda arz ettiğim gibi bana suikaste bulunmaya teşebbüs eden eski jandarmanın elde olduğunu söylediler ve getirdiler. Bu adam da o havaliyi bildiğini ve namuskârane hizmet ederek kusurunu örtmeye çalışacağını söyledi.

Düşündüm zaten bana Are'ye kadar adam lazımdı. Kısmen ben de yolu biliyordum. Gençlik bu ya, "Peki gel" dedim. Diğer erata da benim hareketimden iki saat sonra Dera'ya gitmelerini, Ordu Komutanlığı'na da derhal bilgi vermelerini söyledim. Ben tam gece yarısı Are-Süveydiye istikametinde hareket ettim. Şerif'in kuvvetleri, güya beni elde etmeleri için Busr-ı Eski Şam'ın etrafına yabancı seyyar aşiret getirmiş ve bu kasabanın etrafını kesmişlerdi. Bundan da haberim vardı. Fakat benim itikadım tam ve imanım sağlam olduğu için yolumu bağlayacaklarına ihtimal vermiyordum. Kılavuzu pek ileri bırakmıyordum.

## *Genç Arap'ın Acı Veren Vedası*

Hareketimizden bir saat sonra bir seyyar aşiretin içersine düşmüştük. Derhal kılavuzu soluma aldım. Tüfekler kucağımızda ağır ağır yolumuza devam ettik. Cenab-ı Hak kadir-i mutlaktır. Koca aşiretten hiçbir fert ayakta değildi. Hiçbir köpek de havlamıyordu. Böyle sakin bir durumda aşireti geçtik. Birinci büyük tehlikeyi atlatmıştık. Are'ye kadar yolda bir şeye rast gelmedik. Şafaktan evvel Are'ye gelmiştik. Selim Paşa Atraş'ı adamlarına sordum. "Üç gün evvel Şam'a gitti" dediler. Bu ayrılış o kadar hazindi ki, bunu layıkıyla izaha imkân göremiyorum. Yalnız şu kadar söyleyeyim ki bu ayrılışta duyduğum hüzün ve elemi babamdan ve baba ocağından ayrılışımda duymamıştım. O canım yerleri belki bir daha görmemek üzere terk ediyor, vatanın bu parçasını öksüz ve yetim bırakıyorduk. İki gözümüz iki çeşme gayri ihtiyari boşanıyor her attığımız adımı artık hasretle geride bırakıyorduk. Ah o ne acı anlar ve günlerdi...

Nereden ve nasıl haber almışsa, tam vedalaşıp kaleyi terk ederken büyük kapıdan çıktığımda, tahsil görmüş yirmi beş yaşlarında bir Arap delikanlısı karşıma çıktı. O'nu uzaktan görür ve bilirdim. Fakat konuştuğum bir şahsiyet değildi. İki elimi öptü, "Ah siz ve siz Türkler bizi kimlere bırakıp böyle gidiyorsunuz ya Selahattin? Arkanızda koca bir tarih bırakarak buradan ayrılıyorsunuz. Ne yazık ki biz sizleri bulamayacağız" diye hıçkıra hıçkıra ağlıyor ve ayakta duramıyordu. Sonra kalenin duvarına dayandı. Ne çare ki ben yolumdan kalamazdım.

## *Bir Annenin Yardımı*

Misafirhanesine girdiğimde Şerif Faysal ve Abdullah'ın subay ve erlerinden yedi-sekiz kişi vardı. Yüzüme hain hain bakıyorlardı. Yüzlerini görmek istemedim. Ne çare ki Selim Paşa orada değildi. Hatırıma annesi geldi. Hemen uşaklarından birisini bir kenara çekip, "Selim Paşa'nın annesini kaldırın. Selahattin geldi, sizinle konuşmak istiyor, deyin" dedim. İtiraz etmediler. Annesi pek kısa bir zamanda yanıma geldi. Ben taşlığa çekilmiştim. Kendimi tanıttım. "Tanırım oğlum, hatta Selim, Şam'a gidinceye kadar ne kadar sizin lakırdınızı açtı. Hatta beraber Şam'a götürmek istedi. Çok düşündü. 'Belki vazifesini ileri sürerek gelmek istemez' dedi ve bana da tembih etti. 'Kendisine göz, kulak olun' dedi. Selim, ortalığı iyi buldu. Şerif'in adamları da sürekli sizi rahatsız ediyordu. Biraz da bu karışıklıkta hayatından korktu. 'Şam'a gideyim, dedi' ve gitti. Siz de geç kaldınız oğlum yine de sağ ve salim geldiğinize şükür" dedi. "Siz ne dersiniz bu işe?" dedim. "Hiç de memnun değiliz" dedi. "İsterseniz biraz buraya kadar geliniz" diyerek ve bazı şeyler gösterdi. "Ben Süveydiye'ye gitmek istiyorum" dedim. "Selim'in İngiliz kısrağını hazırlatayım. On-on beş de atlı vereyim. Rahat rahat Abdülgaffar'a gidiniz, size lazım gelen kolaylığı göstersin" dedi. Filhakika yarım saat sonra hepsi hazırdı. Paşa'nın annesiyle vedalaşıp Selim Paşa'ya da selam bıraktım. Kadıncağız atlıların başındaki bir adama, benim yanımda, "Selahattin Bey'i salimen Abdülgaffar Bey'in yanına götüreceksiniz. Abdülgaffar Bey de mutlaka kendisine istediği kadar atlı versin. Salimen yolcu etsin" dedi. Ayrıldık. Emniyet tertibatıyla gidiyorduk. Yollarda yalnız hürmet gördük.

Süveydiye'ye girdiğimizde, çarşıdan geçerken halk bizi fevkalade iyi bir şekilde karşıladı. Abdülgaffar Bey'e gittik. Çok hürmet gösterdi. "Kaymakam ve jandarma buradan ayrılalı üç gün oldu" dedi. "Nereye gittiler?" diye sordum, "Şam'a" diye cevapladı ve beni ilk kaymakamlık makamına götürerek oradan ziyaret ettiği hissini verdirdi. Her şey yerli yerinde duruyordu. Uzun boylu kalmadım. "Sizin misafirhaneye gidelim" dedim, gittik. Paşa'nın validesine hürmet ve selamlarımın söylenmesini rica ederek bunlardan ayrıldım. Gelen adamlar da gitti. Süveydiye Beyi bize çok samimiyet ve yakınlık gösterdi. İnanılmayacak derecede bağlılık hislerini dile getirdi ve etrafındakilerle birlikte çok teessür gözyaşları döktü. Bu hal, kendi iyi hislerinin ve insanlık duygularının yüksek ifadesiydi. Hattı zatında Abdülgaffar Bey de yüksek duygulu şahsiyetlerdendi. Hakkı ve adaleti sever, zulümden hoşlanmazdı.

## *Abdülgaffar Bey'in Yakınlığı*

Abdülgaffar Bey'in yakınlığına ve adaleti sever olduğuna bir misal hatırıma gelmişken burada açıklayayım. Ben Ezra da Jandarma Bölük Komutanı iken bir gün Vali Tahsin Bey'den bir mektup aldım. Süveydiye ayrı bir kaza ve tam teşkilatıyla faaliyet halindeyken, yine bana yazılmış, oradaki bir iş benden istenmişti. Halbuki kaymakamı ve jandarma komutanı da orada görev başındaydı. Tüccar kılıklı bir kişinin getirdiği mektupta, Şam'ın zenginlerinden birinin evinin bir kadın ve erkek tarafından soyulduğu, bin küsur altınla mücevheratın alınıp Süveydiye'ye getirildiği, bunları ne yapıp ederek bulup, hükümet nüfuzunun yerine getirilmesi isteniyordu. Mektubu getiren sivil komisermiş.

Hemen Abdülgaffar Bey'e basit bir Arapça mektup yazdım. Altın ve mücevheratı ve suçluları istedim. Komisere de tanıdığı gördükten sonra mektubun Abdülgaffar'a verilmesini tembih ettim. Süveydiye'ye giden komiser kadını bir gün çarşıda görmüş. Derhal mektubu Abdülgaffar'a vermiş. Abdülgaffar, "Böyle iş bizim usulümüze aykırıdır. Bize sığınmış bir adamı kimseye teslim edemeyiz. Hükümete lazımsa hükümet kendi vasıtasıyla tutmaya çalışır. Lakin siz öyle bir yere baş vurmuşsunuz ki hatırını kıramayacağım. Ve ilk defa da böyle bir iş yapıyorum" demiş. Komiserle beraber çarşıya gitmiş, kadını göstermiş, Abdülgaffar da orada birkaç Dürzi'ye, "Şu kadını getirin bana" demiş. Getirmişler. Kaldığı yeri öğrenerek derhal gitmişler. Abdülgaffar, "Şam'dan getirdiklerinizi nereye koydunuz hemen çıkarın, yoksa karışmam" deyince çıkarmış. Ancak birkaç altın yemiş. Erkeği aramış, başka bir köye gitmiş, bulamamışlar. Hepsini kaymakamlık dairesine götürerek saymış. Bir zabıt tutulmuş. Mücevherat değiştirilmesin diye bir posta çıkını gibi bir şey yapılmış, mühürlenmiş. Abdülgaffar, "Siz resmi ne yaparsanız yapınız. Yalnız bu kadınla, bu çıkını Selahattin Bey'e teslim için ben bir adam göndereceğim. Kendisine de yazacağım" demiş ve öyle yapıp göndermiş. Komiser, "Vali Beyefendi ne iyi etmiş, yoksa biz bunları alamazdık" dedi. Ben de bir mektupla Vali Beyefendi'ye gönderdim. İşte Abdülgaffar Bey'in böyle bir hizmeti de vardı. Kendisinde bir gece misafir kaldım. Ertesi günü on altı süvari hazırlatmış. Abdülgaffar Bey başta olmak üzere büyük bir kalabalık bizi uğurladı ve yine Abdülgaffar Bey başta olmak üzere adamlarının gözyaşları arasında ve hazin bir şekilde oradan ayrıldık.

Abdülgaffar Bey de, "Biz bu bayraktan nasıl ayrılırız?" diye ağlıyordu. Hülasa bunca sene Türklerle çarpışmış ve adeta hasmı kesilmiş bir milletin son zamanlarda gösterdiği dostluk ve sadakati, ne kadar takdir etsek azdır ve ne kadar beğensek yeridir. Bu sadakat kalpten ve gerçekti. Çünkü Türk hükümeti ve Türk ordusu çekilirken hiçbir menfaat hissine kapılmamış, kitle halinde taarruz etmemiş ve hiçbir zarar da vermemiştir. Halbuki bu düşmanlarımız kendi tarafına çekmek için bu Dürzilere neler yapmış, ama yine de muvaffak olamamışlardır. Yalnız başka gaye peşinde koşan Sultan Atraş'ın beş yüz süvarisi bunlardan hariç. O da yalnız Busr-ı Eski Şam'a taarruz etmiştir. Süveydiye'den Ezra kazasına gelmiştim. Burada, Dürzi süvarilere, Abdülgaffar Bey'e de son selamlarımı göndererek yol verdim.

## *Şeyh'in Kızılay'a Yardım Yalanı*

Ezra'da, doğru istasyona indim. Filibeli Hakkı Bey'le, zaten öteden beri tanışıyorduk. "Ne haber?" diye, oradaki son durumu sordum. Gizli olarak, "Aman Selahattin Bey işler fena! Üç hat da kırık, Hırbetülgazelî Köprüsü'nü de Araplar tahrip ettiler, tren işlemiyor. Ben kimseye bir şey açmadım. Şu gördüğünüz çadırlarda da Mir Abdülkadir vardı, hani eski Cezayir Emiri Mir Ali'nin oğlu. Kendi fikrini yokladım, güya hat muhafızı; fakat hiç de zannetmem bize dost olsun, kim bilir ne için dolaşıyor?" dedi.

Taraçada kahvelerimizi içerken aşağıdan Mir Abdülkadir göründü. Biraz mağrur bana, "Sen, sivil değil ne giyinsen, seni tanırım" diye yarı şaka ve yarı tehdit seslendi. "Buyrun bakalım" dedim. Benim yanımda ancak üç silahlı vardı. Onun yanında yüz elli atlı. Hal ve hatırdan sonra ne vazifeyle burada bulunduğunu sordum. Ümit edilmeyen bir cevap, "Hilal-i Ahmer'e (Kızılay) yardım için burada bulunuyorum. Yaralı filan olursa saracağız. En yakın hastahaneye göndereceğiz, bu kadar." Filibeli Hakkı Bey, şaşkınlıkla yüzüme bakıyordu. Ben de gülerek, "Hakkı Bey, bize, muhafız olarak burada bulunuyorlar, demişti de..." diye ekledim. Sesimdeki alayı sezerek, "Ya, biz kimseyle harp edecek değiliz" dedi. "Doktorunuz var mı?" diye sordum. "Hayır" dedi. "Lüzum yok, siz sardırıverirsiniz" dedim. "Yok hakikaten hat muhafızı olarak bulunuyorsanız şimdi biz burada otururken Dineybe köyüne yüz kadar Faysal'ın kuvveti geçti, onu defedersiniz. Zaten o da sizi görünce kaçar" dedim. "Hayır ben kimseyle harp edecek değilim. Hakikaten oraya kuvvet geçti mi?" dedi. "Evet" deyince de yine, "Ben kimseyle harp edecek değilim. Öyleyse çekilir, Şam'a giderim" dedi ve hemen çadırlarını yıktırarak kısa zamanda Şam istikametine geçti.

Ben Mir Abdülkadir 'in harekâtını öteden beri takip ettiğim için, onun bu yapmacıklıklarına ayrıca şaşmadım. Şam tarafından bir Alman seyyar askeri vagonu geldi. Birisinin elinde aletler, telgraf direğine çıktı. Ben Almanca bilmediğim için "kaput" kelimesinin kullanış yeri garibime gitti. Kaput, "kırık" manasına geliyordu. İstasyon memurundan bilgi almaya gelen Alman çavuşu, Hırbetülgazelî Köprüsü'nün de uçurulmuş olduğunu işitince, "O halde Dera'ya gidemeyeceğiz; çok fena" dedi. Ben Mülkiye telgrafhanesine giderek 4. Ordu Komutanı Mersinli Cemal Paşa'yı buldurdum. Kısaca vaziyeti, çekilme sebeplerini arz ettim. "Biz de ikinci hattı müdafaya çekileceğiz. Sizinle Mismiye de buluşalım" dedi ve mülkiye hattı da kırıldı. Başkaca haberleşemedik.

## *Yüzbaşı'nın Askerlerini Aldım*

İkinci müdafaa hattının Mismiye olduğunu anladıktan sonra gelen vagonla Ezra Jandarma Bölüğü'ndeki Türk eratını alarak gitmeyi ve bu suretle de hattın Ezra-Mismiye arasının muhafaza ve kontrolünü otomatikman üzerime aldım ve kararımı Alman gedikli çavuşuna söyledim. Yani, "Emrime gireceksin" dedim. Evvela kabul etmedi, "Olmaz" dedi. "Sen asker değil misin? Verilen emre itaat edeceksin. Şimdi senin buradaki ve daha ilerdeki vazifen durmuştur. Şimdi hattın bu kısmını muhafaza edeceğiz" dedim. İstasyon memuru da benim bir kumandan olduğumu söyledi.

Ben bir taraftan da Ezra Jandarma Bölüğü'ne, "Ne kadar Türk askeri varsa silah ve cephane ve diğer teçhizatıyla hemen yetişsin" emrini verdim. Bölükteki yirmi beş kadar er, hemen teçhizatını alıp koşarak bana katılmaya başladı. Süveydiye'den buraya gelmiş, bölüğün komutanı Yüzbaşı Lazkiyeli Abdülkadir Bey, iki yüz metre uzaktaki dairesinin kapısından bana, "Ne yapıyorsun, benim askerimi nasıl alıyorsun, bu yakışır mı?" gibi sözleri bağırarak söylüyor. Askerse bana marş marşla geliyordu. Sinirlenerek, "Bu asker burada kalamaz. Sen arkadaşsan böyle zamanda benim yanıma niye gelmiyorsun?" dedim. Bu zat içeri girdi. "Hoş geldin" bile demedi. Halbuki ben onu nelerden kurtarmıştım. Türk askerleri gelince saydırdım. Adetleri tamam çıktı. Tek bir Türk'ün bile kalmasına rıza göstermedim.

Hatırıma gelmişken yazayım. Eski Şam'daki diğer Türk eratı da, ben oradan ayrılırken emir verdiğim gibi, hepsi vukuatsız Dera'ya iltihak etmişler. Alman seyyar vagonuna bir açık vagon daha taktırdım. Yanımdaki eratla Ezra'dan aldığım eratı da buraya bindirdim. İstasyon memuruna, "Hırbetülgazelî Köprüsü tamir edilir edilmez telgrafla bana malumat ver" dedim. Veda ederek ayrıldım. Arap kuvvetleri, Dineybe'den beni seyrediyordu. Hiçbir taarruzda bulunmadılar. Vagonda iki ağır makineli tüfek, sekiz sandık kadar cephane ve numara erleri vardı. Aldığım eratla beraber hayli kuvvetlenmiştim.

Ezra ve Muhacca İstasyonlarını geçtikten sonra hatırıma istasyon memurlarının istasyonları terk etmesi keyfiyeti geldi. Derhal Muhacca'ya geri döndüm. Yolda Muhacca memurunu drezinaya* binmiş bizi takip ederken buldum. Geri çevirdim. Muhacca'dan Ezra İstasyonu'nu aradım. Hat toprak gösteriyor, bekledim. Bir memur daha geldi. Kendilerine, "Arkadaşlığı bir tarafa bırakın. Dera'dan ordu henüz hareket etmemiştir. Buradan gelecek askerin arkası alınmadıkça bir tarafa gidemezsiniz. İkinci defa gördüğümde derhal idam ederim. Şimdi herkes yerinde kalacak. Telle hattın açıldığını bana bildirecek" dedim. Mismiye'ye doğru diğer istasyonlara da sıkı emir verdim ve tüm hattı açtırdım. Mismiye'de diğer kuvvetleri bekledim. Yedi trenle geldiler. En son trendeki memur, istasyon memurlarıyla telgraf makinelerini beraber

* Hat kontrolü ve tamiri için kol gücüyle hareket ettirilen küçük demiryolu aracı.

getiriyorlardı. Bu vazifeyi de Dera İstasyonu Şefi Rüştü ve arkadaşlarımdan Tahir Bey yapıyordu.

### *Askerleri Trene Doldurdum*

Gelen yedi tren o kadar insanla doluydu ki, lokomotifin ve trenin kenar ve üstüne varıncaya kadar binmişlerdi. Ayak basacak, el tutacak her yer işgal edilmişti. Bu yedi tren iki saat kadar Mismiye'de kaldı. Ben asker inecek, müdafaa hattına gidecek zannetmiştim. Halbuki Tahir Bey'i çağırdılar; "Trenler Şam'a gidecek!" diye emir vermişler. "Geldiğinde gidiyoruz" dedi. Böylece Şam'a gittik. Cemal Paşa, "Şam'da birikmiş ne kadar jandarma süvarisi varsa toplansın, emrine alsın. Kendisi bu kuvvetle karargâh komutanlığına memurdur" diye emir vermiş. Bir taraftan emri yerine getirmek için gereğine tevessül etmişken (başlamışken) karargâhtan öğrendiğime göre bizzat Şam'ın müdafaasına karar verilmiş. Hatta Salihiye'ye de topların yerleştirilmesine emir verildiğini öğrenince, benim de aldığım ailenin (eşimin) Salihiye muhacirinden olmasından dolayı evlerinin başka semte nakli münasip göründü. Paşa'dan bu ev nakil işi için izin istedim. "Öğleden sonra saat beşe kadar işlerini bitirip hemen gel" denildi. Hemen gidip yükte hafif pahada ağır ne varsa üç denk yaptım. Cami-i Emeviye'nin yanında eski ahbaplarımızdan birinin evine götürdüm. Ailemi de orada bıraktım.

Kendim hemen karargâha döndüm fakat yerlerinde yeller esiyordu. Öğleden sonra saat (o zamanın tabiriyle) üçü on beş geçiyordu. "Paşa görülen lüzum üzerine otomobille hemen Halep istikametine hareket etti" dediler. Halbuki bu karar saat beşten sonra verilecekti. Harp vaziyetinin aniden değişmesinden olacak hemen hareket etmiş ve eldeki kuvvetleri de hareket ettirmiş. Biraz soruşturma yaptım. Düşman süvarileri ve bir kısım topçusu Artus'a girmiş. Bu köy hemen bir saat mesafedeydi. Bizim piyade kıtası da Rabuva Boğazı'ndan geçmek için ilerliyordu. Ben de bunlara katıldım. Yanımda yalnız hizmet erim vardı.

Hizmet erim beni hükümet konağı önünde beklerken gördüklerini anlattı. "Bir kalabalık geldi. Bir kısmı hükümet konağı önünde durdu. Bir kısmı içeri girdi. Hükümetin balkonuna çıktılar. Birisi bir şeyler söyledi. Sonra bizim bayrağı aşağı indirdiler. Acayip bir bayrak çektiler. Bir sarıklı dua etti. Diğerleri de, amin, dediler. Sonra birkaç askerimizi hükümet önünde vurdular. Bu sırada ben bir sağa bir sola hayvanı gezdiriyordum. Kimse bana bir şey sormadı. Sonra siz gelip beni buldunuz." Şerif Faysal gelmiş, Arap hükümetini ilan etmiş. Hazırlamış oldukları bayrağı da asmışlar. Asker arasına girdiğim vakit bir at arabasına aile efradını bindirmiş, kendisinin Vilayet Maden Mühendisi olduğunu söyleyen bir zat bana, "Aman beni de yol koluna alın" dedi. "Siz de geliniz" diye ön tarafıma aldım. Subaylar da ses çıkarmadı. Yürüyüş kolu devam ederken Rabuva Boğazı'nın güneyinden sürekli makineli tüfek ateşi geliyor, ara sıra da topçu ateşi devam ediyordu."

### *Esir Düşüşüm*

Ben yapılacak işler üzerine derin derin düşünmeye dalmışım. Ne oldu bilmem. Tepemizde de tayyare sesleri vardı. Hayvanın durmasından "niye gitmiyor?" diye ileri baktım. Arabanın hayvanları vurulmuş, içindekiler de yok. Yol kolunda da kimse kalmamış. Nereye gitmişlerdi? Ağaçlıklar arasından gözle bulmaya çalıştım. Attan inmemiştim. Bir de geriye baktım. Yine yol boyunca kimse yok. Yalnız makineli tüfek ve topçu hayvanlarını boğazın güney yamacında gördüm. Bazı erat bunlarla meşgul.

Hemen attan indim. Yedeğe aldım. Yolun kuzeybatısında yıkık bir taş bina vardı. Onun gerisine gitmek üzere yürüdüm. Tam yanına geldiğim sırada bataklığa saplandım. Makineli tüfek ateşi devam ediyordu. Ve bu ateş üzerimde yoğunlaştı. Yüzüm gözüm bataklığın çamuruyla kaplanmış, su kabarcıkları sürekli kaynıyordu. İki adım atabilsem binanın gerisine ben de sığınacaktım ancak bataklıktan çıkmam mümkün değildi. Benim hizmet erim ve daha on beş kadar asker de buraya sığınmışlar, benim ölümümü seyrediyorlardı. Bu bir hazin manzaraydı. Bu sırada hayvanım sağrısından ateş yedi ve can acısıyla bir-iki çifte savurup elimden kurtuldu. Üzerindeki eşyalarımla beraber gitti. Nihayet bir piyade çavuşu dayanamadı. Bana tüfeğinin ucunu uzattı. "Elimi fazla uzatamam, tutabilirsen çıkmaya çalış" dedi ve hakikaten bu namluyu tutarak çıkmaya muvaffak oldum. Derhal ayaklarıma baktı. "Çok ateş altında kaldınız" dedi. Ateş dik geldiği için hamdolsun bir yara almamıştım. Bu çavuş Ispartalı idi ve bana bataklığa düşen kalpağımın yerine nereden bulmuşsa bir subay kalpağı verdi.

Bütün asker hareketsizdi. Hiç ateş etmiyorlardı. Bir müddet sonra ateş kesildi. Ben de, "Güney tarafına geçeyim" dedim. Elimde bir de tüfek vardı. Tam yolun ortasına geldiğimde başlarında bir yüzbaşı olan Avustralya süvarileri, Karadağ biçimindeki tabancaları bana çevirmişler, "Teslim ol" diyorlardı. "Elindeki silahı at" dediler. Bir müddet tereddüt içinde atmak istemedim. Yüzbaşı diğer eratı gösterdi. Teslim olmuşlardı. Elimden tüfeği attım. Biraz gittim, tabancayı görmüş, "Souvenir (hatıra)" diyerek tekrar gelip istedi. Zaten iş işten geçmişti. Sabırlı yüzbaşı ilk mukavetime sakin bir şekilde tepki vermişti. Fazla ısrar etmedim, verdim. Teşekkür ederek yanındaki on beş, on altı süvariyle gitti. O gün, 29 Eylül 1918'de, aralarında fırka komutanlarından Miralay Asım Bey'in de bulunduğu on bin kadar asker ve beş yüz kadar subay esir düşmüştü.

# Ekler

*Selahattin Günay*
*yurda döndükten sonra.*

## *Selahattin Günay'ın Anadolu'daki Görevleri*

Babam Mehmet Selahattin Günay, Rabuva Boğazı'nda İngilizlere esir düştükten sonra Mısır'da Seyd-i Beşir Esir Kampı'nda geçirdiği esaret yılları ve Anadolu'da bulunduğu görevler ve yaptığı işlerle ilgili bir hatırat yazmadı. Ondan kalan bazı resmi evrak suretlerinden ve bana anlattıklarından yola çıkarak bulunduğu yer ve görevleri belirtmek istedim:

Ocak 1920'de İstanbul'a döndü. 45 gün izin kullandıktan sonra Anadolu'ya geçti.

Mart 1920'de Sinop Jandarma Taburu Ayancık Bölüğü'ne katıldı. Bu görevde bulunduğu müddetçe askere alınanları, Sovyet Rusya'dan temin edilen silahlarla donatarak cepheye gönderdi.

1 Kasım 1920'de yüzbaşılığa terfi ederek Sivas Jandarma Alayı Erkân Bölük Komutanlığı'na tayin edildi. Bu görevi sırasında çıkan Koçgiri İsyanı üzerine, geçici bir zaman için isyan bölgesi olan Zara'da bölük komutanlığına atandı. Hareketin son bulmasından sonra asli memuriyetine iade edildi. Bu dönemde eşkıya çarpışmaları çok olduğundan, bu konuda yazmaktan vazgeçtiğini bir tercüme-i halinde belirtmiştir.

Sivas'ta görevli olduğu süre içinde ayrıca Telgraf Umum Sansürü işine de memur edildi.

Eylül 1921'de yeni kurulan Sivas Aziziyesi Jandarma Bölük Komutanlığı'na atandı.

9 Eylül 1922'de geri alınan Kula'ya bölük komutanı olarak tayin edildi.

1 Ocak 1930'da Manisa Bölük Komutanlığı'na, aynı

yılın 8 Kasım'ında ise Manisa Vilayet Jandarma Komutan Muavinliği'ne atandı.

15 Aralık 1931'de kanun gereği sicil almak için A.44.B6'ya katıldı.

30 Ağustos 1931'de Erzincan 12 Sayılı Jandarma Okulu Komutanı oldu.

9 Eylül 1932'de Şebinkarahisar Vilayet Jandarma Komutanlığı'na atandı.

Haziran 1933'te Giresun Jandarma Komutanı oldu.

Ekim 1935'te Erzurum 4. Mıntıka Jandarma Komutanlığı Mülhaklığı'na atandı.

1938'de Balıkesir Jandarma Mıntıka Komutan Muavinliği görevine başladı.

1939'da Tekirdağ Jandarma Mıntıka Komutan Muavini oldu.

1940'ta Kayseri'ye Jandarma Mıntıka Komutanı olarak atandı.

1945'te Diyarbakır Jandarma 2. Bölge Komutanı olarak göreve başladı.

1947'de Albay rütbesiyle Adana Jandarma Müfettişi olarak çalışmaya başladı.

14 Temmuz 1948'de Adana'daki görevi sırasında yaş haddinden emekliye sevk edildi.

21 Mayıs 1956'da geride eşi Abidet, çocukları Nahide Suzan, Süleyman İsmet, Hüseyin Suat ve Nimet'i bırakarak İstanbul'da vefat etti. 22 Mayıs'ta Eyüp-Gümüşsuyu'ndaki aile kabristanına defnedildi.

Meslek hayatı boyunca iki de madalya almıştı:

1918'de teğmen rütbesi taşırken, 115 sayılı emirle Harp Madalyası; 21 Mart 1927'de yüzbaşı iken, 1558 sayılı belge ile İstiklal Madalyası almaya hak kazandı. (İstiklal Madalyası büyük oğlu Süleyman İsmet Günay'a, ondan da büyük kızı Ayşe Tülin Yılmaz'a intikal etmiştir.)

Babamın Arap dostlarını, babamı vurmayıp esir alan Avustralyalı hafif süvari yüzbaşısını minnetle; babamı ve bütün şehitlerimizi rahmetle anıyorum.

Hüseyin Suat Günay

## *Lawrence'ın Yakalanışı*

Babam Ağustos 1916 - Nisan 1917 tarihleri arasında Havran'da tabur merkezinde görevliydi; Dera, Aclun ve Busr-ı Eski Şam kazalarının asayiş ve inzibatından sorumluydu. Anlattığına göre, bu görevle Dera'da bulunduğu sırada jandarma karakolunun penceresinden dışarı bakarken, bir Bedevi'nin karakolu ve çevresini tetkik ettiğini görmüştü. Şüphelenerek çavuşu göndererek bu kişiyi yanına getirtmişti.

Sonradan Lawrence olduğunu anlayacağı kişinin, hiç zor kullanmadan yapılan sorgulamasında verdiği cevaplar inandırıcı değildi. Babam çevreyi iyi tanıdığı için onun söylediği yalanları ve verdiği açıkları kolayca yakalıyordu. Sonunda Lawrence'a, "Ayaklarının altını göster" dedi, çünkü o yörede yaşayanların düzgün ayakkabı giyme şansı olmadığını biliyordu. Tabanlarını görüp de, "Sen Bedevi değilsin!" deyince Lawrence çözüldü. Babama "kapiten" diye hitap ederek, serbest bırakılması için rüşvet teklifinde bulundu. Benzer mahiyette bir rüşvet teklifini daha sonra, bir aracı vasıtası ile, Eski Şam'dan çekilmesi için tekrarlayacaktı (bkz. s. 103).

Babam bu teklifi reddedip Lawrence'ı mutassarrıfa sevk ettiğinin dışında, olayın sonrası hakkında bize bir şey söylemedi. Söylediği ile yetindiğimiz için biz de soramadık. Olay resmi kayıtlara geçmediğine göre, Lawrence aynı gün zekâsını kullanarak nöbetçileri atlatıp kaçmış veya serbest bırakılmış olabilir.

*Yakalanış Tarihi*

Lawrence, babamın da anlattığı gibi, kesinlikle babamın Dera'da görevli bulunduğu Ağustos 1916 Nisan 1917 tarihleri arasında yakalanmıştır. *Near East* dergisi, 1 Aralık 1916 tarihli 102. sayısında, Lawrence'ın 17 Ekim 1916 tarihli mektubuna dayanarak yakalandığını duyurmuştur. Bu haber dikkate alınırsa, yakalanma tarihi babamın orada göreve başladığı Ağustos 1916'dan sonraya denk düşmektedir. Derginin bu haberi de, babamın anlattıklarını doğrulamaktadır.

*Tarihi Tahrifat ve Hacim Muhittin*

Lawrence daha sonra kaleme aldığı anılarında, Osmanlı idaresini yıpratmak amacıyla, yakalanış tarihini 20 Kasım 1917'ye, bir yıl kadar ileriye itmiştir. Böylece olayın asıl geçtiği Ağustos-Ekim 1916 döneminde henüz oraya mutasarrıf olarak atanmamış olan Hacim Muhittin Bey'i (Çarıklı) suçlar, ona iftira atar. Oysa Hacim Muhittin'in Dera'ya atanma tarihi 8 Mayıs 1917'dir.

Hüseyin Suat Günay

*1940'larda albay rütbesiyle.*

Bendeniz 1-11-323 Mektebi Harbiye duhullü ve 11-Mart
328 nasipli Piyade zabitanındanım. neşetimi müteakip
Şamda sekizinci Kolordu emrine ve Numune A 8 B 5 za-
bitliğine verildim. üç ay sonra Havranda F 25 emrine oradan
da Havranın Mismiye kazasında bulunan A 74 C 2 B 2
Mülazimliğine gönderildim. biraz sonra Taburda muallim zabit-
likte bulunmak üzre Buorülharire celpolundum. Ağustos 328
de Taburumuz Hayfa - Hanyunus sahilinin muhafazasına me-
muren Kudüse gönderildi. bir müddet Kudüs ve beytilâhimde
kaldım ve sonra inkilabdan B 1 vekâletile Yafa - Hanyunus
sahil muhafızlığına ve hududu Mısriyeye memur edildim
Ağustos 329 da Taburumuz betekrar Havrana avdet etti ve B 2
vekâletile Busraeskişam mevki kumandanlığına gönderildim
Birinci kânun 329 da K 8 emrile F 25 mukaberatı fenniye
taâlimleri kumandanlık ve muâllimliği inzimamile C 25 Nişa-
ncı B 3 vekâletine tayin olundum Nişancı bölüklerile Hudut
bölüklerinin jandarmaya devri esnasında 1- Mart - 330 da Havran
jandarma taburunun Estersivar bölüğü ikinci takım k. Ağustos
330 da Ezra j. B. ve ve kânunusani 330 da Havran Estersi-
var B. K. ve, biraz sonra aynı zemanda Dera Merkez j. B.
K. ve tayin olundum Ağustos 331 de Estersivar j. B. ile
Lece harekâtı askeriyesine iştirak ettim harekâtı harbiyeyi mü-
teakip bir mükâfat olarak yeniden ihya edilen Lece Nahi-
yesi müdüriyetine fevkalade 1800 kuruş maaşı asli ile
tayin olundum ahvali sıhhiyeme binaen gidemedim.
1- Eylül- 331 de Birinci mülazımlığa terfi edildim Ağustos 332
de Havran harekâtı askeriyesinde Tabur merkezinde kalarak Dera,
Aclun, Busraeskişam kazaları asayiş ve inzibatına memur edi-
ldim. Nisan 333 de betekrar Ezra B. K. ve gönderildim Nisan
334 bidayetlerinde Teşkilatı mahsusaya memuren müstakillen
Ezra da bulundum ve bu memuriyet kısa devam etti esasen

orada bulunduğum müddetce bu vazifeye de bakıyor ve tahsisatı
mestureden para da alıyordum. Mayıs 334 de Busraeskişam
J. B. K. ve Kaza Kaymakamlığı ve tayin edildim ve sukuta
kadar kaldım Dera, nın sukutiyle beraber son trenlerle Şama
geldim. Suriye alayı mürettebi Süvari B. K. tayin edildim
fakat talih beni Şamın Rabuva boğazında İngilizlere 29 Eylül
334 de esir düşürdü. müddeti esaretim Mısır, da Seydi Beşir
de geçdi. İkinci kanun 336 da İstanbula geldim 45 gün izin
aldım Mart 336 da Sinop J. E. Ayancık B. ne iltihak
ettim 1- Teşrini sani 336 da Yüzbaşılığa terfian Sivas J.
A. Erkân B. K. tayin olundum Koçkiri aşayirinin isyanı
üzerine bir müddeti muvakkate için isyan mıntakası olan
Zara B. K. tayin edildim harekatın hitamını müteakip memu-
riyeti asliyeme iade olundum. Sivasta bulunduğum müddet
Telgraf H. sansoruna da memur idim. Eylül 337 de inki-
~~tal eden Sivas Aziziyesi J. B. K. ve istirdadı mes... müte-~~
akip 9-Eylül 338 de Kula B. K. tayin olundum ve bila
fasıla 7,5 Sene kaldıktan sonra 1-1-930 da Manisa
B. K. ve 8-11-930 tarihinde de Manisa Vilayet J. K.
muavinliğine tayin olundum. 15-2-931 de bir mucibi
kanun sicil almak üzre A 44. B 6 ya iltihak ettiğini
maruzdur efendim

A 44 E 2
B 6. K.
Yzb.
Selahaddin
S. 1062 J.

*Kendi el yazısıyla özgeçmişi.*

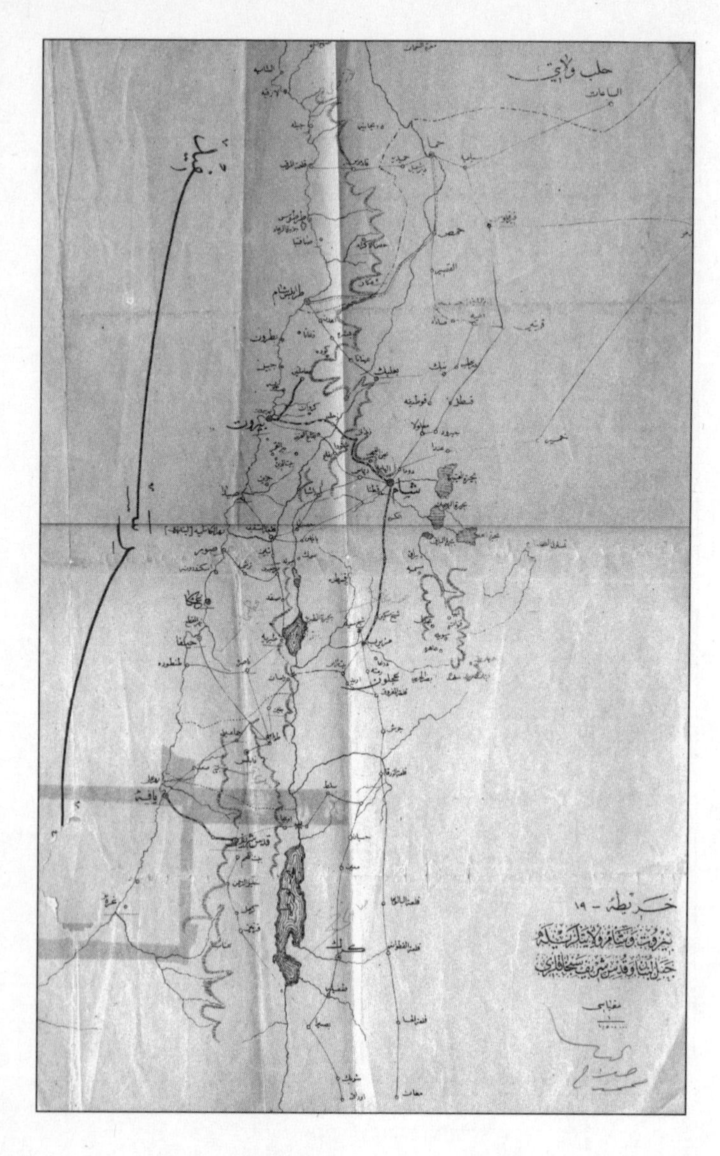


*Görev başındayken kullandığı Filistin ve Şam haritası.*

*Kudüs'ten İstanbul'daki kız kardeşi Hüsniye'ye yolladığı hediyeler.*

*Mısır'daki esir kampında arkadaşları.*

*1920'li yılların sonunda Kula'da, Cumhuriyet döneminde satın alınan ilk uçaklardan olan Fransız yapımı Caudron C-59'un önünde, sağdan ikinci.*

*Üsteki Caudron C-59, üzerinde "Kula" yazısıyla. Hava Kuvvetleri bu uçakları 1924-37 arası kullanmış daha sonra beşini sivil havacılık eğitimi için Türk Hava Kurumu'na devretmiştir.*

*16.3.1956'da, ölümünden iki ay önce yakınlarıyla. Oturanlar (soldan) Abidet Günay (eşi), Selahattin Günay, Hüsniye Yalçın (kız kardeşi). Ayaktakiler: Asaf Yalçın (yeğeni), Sabahat Yalçın (gelin), Nimet Günay (kızı), Celadet Yalçın (yeğeni), Nezahat Puyan (yeğeni), Hayati Puyan (damat).*

*Üç çocuğu 1990'larda: (soldan) Hüseyin Suat Günay, Süleyman İsmet Günay, Nahide Suzan Karadağlı (Günay).*

# KİŞİLER DİZİNİ

## YER ADLARI DİZİNİ

ANI DİZİMİZDEN

*İlk kez, Çanakkale ve Doğu Cephesi'ndeki anılarından oluşan* Gelibolu'nda Kafkaslara *kitabıyla okuyucuyla tanışan İsmail Hakkı Sunata, bu kez işgal altındaki İstanbul'u bilinmeyen yönleriyle anlatıyor.*

*Kılıç Ali, genç yaşta Atatürk'ün silah ve mücadele arkadaşı oldu ve vefatına dek de onun en güvendiği dostlarından, sırdaşlarından biri olarak kaldı. Anılarıyla, Kurtuluş Savaşı ve sonrasına ilk elden tanıklık ediyor.*